*Het Zwanenmeer
(maar dan anders)*

*Het Zwanenmeer (maar dan anders)* verscheen in een gewijzigde vorm als Kinderboekenweekgeschenk in 2003.

ISBN 90 269 9889 9
NUR 283

www.unieboek.nl
www.francineoomen.nl

# Francine Oomen

# Het Zwanenmeer
## (maar dan anders)

Van Holkema & Warendorf

# Inhoud

Hoofdstuk
14
Flelsj!

73

Hoofdstuk
15
Hersenpudding

77

Hoofdstuk
16
Een ijzeren poot

81

Hoofdstuk
♡ 17 ♡
De liefste kus van
de wereld

85

Hoofdstuk
18
Helemaal vergeten...

89

Hoofdstuk
19
Kikkerbillen
en
Slijmjurken

94

Hoofdstuk
20
Jasper, Juul en Karlijn

100

Hoofdstuk
21
Sprookjes,
maar dan anders...

104

Hoofdstuk
22
Goed, kwaak!

113

♡ Hoofdstuk
23 ❀
Geluk bij een ongeluk

120

Hoofdstuk
24
Leugens en bedrog

127

Hoofdstuk
❀ 25 ❀
Brieven voor Sam

132

Hoofdstuk
♡ 26 ♡
Niet het einde,
maar een nieuw
begin

136

2

Wij zijn geen gewoon gezin. Ik zal eens een gesprek beschrijven
dat wij al ontelbare keren gevoerd hebben:
'Hoe oud ben jij?'
'Veertien.'
'En je zus?'
'Ook veertien.'
'Haha, je houdt ons voor de gek! Ze is toch ouder dan jij?'
'Nee, hoor, het is echt waar.'
'Een tweeling, wat leuk! En hoe oud is je broer?'
'Ook veertien.'
'Een *drieling*? Maar hij lijkt helemaal niet op jullie! Wat énig! Dat
komt niet vaak voor! Is het nou leuk om een drieling te zijn?
Doen jullie alles samen? Hebben jullie wel eens ruzie? Lijken
jullie wat karakter betreft veel op elkaar?' Blablabla.
Je wordt er helemaal gaar van. Zo voorspelbaar. Uit onszelf
zeggen we dus nooit dat we een drieling zijn. Vooral niet omdat
daarna bijna altijd volgt: 'Jullie moeder zal haar handen wel vol
hebben aan drie van die pubers!'
En dan is het antwoord: 'Nee, hoor, dat heeft ze niet, want we
hebben geen moeder.'
En dan begint het pas goed: 'Ooo, wat zíélig! Arme kinderen!

Geen moeder!' Nog meer geblabla.

Daar hebben wij dus geen zin in.

Vroeger was het nog wel eens handig om het te zeggen. Dan kreeg je uit medelijden altijd koekjes en snoepjes en zo. Een krentenbol bij de bakker en een mandarijn van de groenteboer, een extra schep frieten in de snackbar.

We gebruikten het ook vaak als excuus als we te laat kwamen op school, of als we weer eens wat vergeten waren. Nu doen we dat niet meer, want er komt meestal nog een vraag achteraan: 'En zorgt jullie vader dan helemaal alleen voor jullie?'

Het antwoord daarop is: 'Nee, wij zorgen voor hem.'

Maar dat zeggen we niet. We zeggen altijd: 'Ja, hoor, hij zorgt voor ons. Onze vader is fantastisch.' En dan veranderen we zo snel mogelijk van onderwerp. Want het voorspelbare gesprek gaat nog een poosje door. De mensen zeggen dan: 'Goh, dat moet toch wel druk voor hem zijn, in je eentje drie kinderen opvoeden, een huishouden en ook nog een baan...'

Onze vader heeft helemaal geen baan. Onze vader heet Walter van Zwanenburgh.

'Wát? Toch niet dé Walter van Zwanenburgh?' roept iedereen dan. Ja, die.

Mijn vader kan, of beter gezegd kon, eigenlijk maar één ding heel goed: schrijven. Is dat ook een baan?

Hij verdient er in ieder geval wel veel geld mee. Zijn boeken worden over de hele wereld verkocht. Ze liggen in alle boekwinkels in hoge stapels, ze worden regelmatig verfilmd en hij heeft een heleboel prijzen gekregen. Bijna iedereen kent zijn naam.

Als mensen horen wie onze vader is, krijgen ze meteen dollartekens in hun ogen en dan hoor je ze denken: die familie zal wel schatrijk zijn!

Dat zijn we ook.

Soms zou ik willen dat het niet zo was. Behalve dat ik alle leuke kleren kan kopen die ik wil, hebben we er meer last dan plezier van.

We hebben geen beer in huis, hoor. Hoewel ze er wel wat op lijkt. Beer is mijn zus en ze eet alles op wat los- en vastzit. Daardoor is ze nogal dik. Ze doet net alsof dat haar niks kan schelen. Het enige wat belangrijk voor haar is, is eten en dat ze overal de beste in is. Ze zit altijd met haar neus in een boek en dan hoort ze niks. Of ze doet net alsof. Dat is tamelijk irritant. Maar onder die nogal ondoordringbare buitenkant is ze heel lief, alleen laat ze dat niet zien. Ze verstopt zich achter vet-ribbels en tienen.
Ze heet natuurlijk niet echt Beer. Wij hebben bij onze geboorte totaal idiote namen gekregen, van onze deftige grootmoeder die in Frankrijk woont.
Beer heet eigenlijk Berenice Aurora. Lachen, hè? Toen ze één jaar was, noemde ze zichzelf Beer, en dat is altijd zo gebleven.

Lieve Pippeltje
(slijm, slijm)
Allerliefste broer,
wil je aubsurpliés
vanavond macaroni
maken? (met veéeél kaas)
? ? ?
Sam (voor eeuwig dankbaar!)

Mijn broer heet Pip. Hij heet eigenlijk Jean-Philip Eduard. Toen we klein waren, noemden we hem Pip, en ook dat is altijd zo gebleven.

Pip ging pas praten toen hij vier was. Hij is nog steeds niet zo snel met alles en daar wordt hij vaak mee gepest. Behalve als Beer of ik in de buurt zijn, want dan krijgen ze een oplawaai. Pip zit in groep acht, terwijl wij al in de brugklas zitten. Hij is niet dom, hoor, hij is gewoon anders. Hij kan niet zo goed leren, maar andere dingen kan hij wel heel goed. Hij kan bijvoorbeeld ontzettend goed tekenen en ook heel lekker koken. Gelukkig maar, want bezorgpizza's, snackbareten en afhaalchinees komen na een tijdje wel je neus uit.

Sam (afgrijselijk
koopmonster!)
Denk eram, na
school niet de stad in
(je hebt proefwerk week,
voor het geval dat je
dat vergeten was!)
Laat je P.P. maar thuis!
Beer

Ik heet dus Sam, en niet Samantha Eloise. Toen ik uit mijn moeders buik kwam, woog ik niet meer dan een pak suiker. Kun je je dat voorstellen? Ik was zo klein dat iedereen dacht dat ik het niet zou halen. Ik ging niet dood, mijn moeder wel.
Ik ben nog steeds de kleinste van ons drieën, maar ik ben altijd de felste en de brutaalste geweest. Mij krijg je er niet onder.
PP betekent pinpas. Wij hebben er alle drie een, want wij doen alle boodschappen zelf. Nou ja, wij... ik meestal.
Beer noemt mij een koopmonster omdat ik verslaafd ben aan kleren. Van kleren kopen krijg ik een kick. Als ik me rot voel, ga ik altijd de stad in, ik stap wat fijne winkeltjes binnen, ik wapper met mijn PP en wég is mijn slechte bui! Kleren kopen is voor mij echt een tovermiddel. Natuurlijk koop ik het nieuwste van het nieuwste en het hipste van het hipste. Sam zul je nooit in de mode van vorige maand zien lopen.

Onze vader is niet zoals andere vaders. De meeste vaders gaan 's ochtends om acht uur de deur uit naar hun werk, en dan komen ze 's avonds om zes uur moe maar tevreden (of moe en chagrijnig) terug. Onze vader is altijd thuis en hij zit de hele dag op zijn werkkamer. Hij heeft meestal oordoppen in, zodat hij geen last heeft van het kabaal dat wij maken. Hij komt bijna nooit naar beneden, en als hij het al doet, is het meestal 's nachts.

Mijn vader lijdt al een paar jaar aan een ernstige ziekte die alleen maar bij schrijvers voorkomt. Die ziekte heet: writer's block.

Het komt erop neer dat je wel wílt schrijven, maar je kúnt het niet. Net zoals je moet poepen, maar het lukt niet. Het Nederlandse woord zou dus zijn: schrijfverstopping.

Dag en nacht zit hij te zuchten en te steunen achter zijn computer. Hij staart voor zich uit, tuurt naar het plafond, peutert in zijn neus, trekt aan zijn oorlel en weet ik wat nog meer, maar er komt niks uit zijn vingers. Zelfs geen klein prutverhaaltje voor een krant of tijdschrift, terwijl hij dat vroeger zo voor elkaar had. Ik weet nog heel goed hoe dat ging: dan riep hij om kwart voor negen 's avonds: 'Oeps, ik moet mijn stukje voor de krant nog schrijven.' Dan rende hij naar boven, en na een half uurtje was hij alweer beneden en was het klaar.

Maar dat is al een hele tijd geleden.

De deletetoets is helemaal afgesleten. Hij zit muurvast, zegt hij zelf (zijn hoofd dus, niet de deletetoets). Zo vast dat hij er hoofdpijn van krijgt. Daar heeft hij vaak last van.

Volgens mij heeft mijn vader een writer's block omdat hij bijna nooit zijn werkkamer uit komt. Hij maakt helemaal niks mee. En als je niks meemaakt, waarover moet je dan schrijven? Over je verleden misschien. Maar dat is juist iets waar hij níét aan wil denken.

Mijn vader houdt niet zo van mensen. Hij wordt zenuwachtig van ze. De meeste mensen praten te veel en zeggen niks, vindt hij. En luisteren kunnen ze al helemaal niet. Hij is allergisch voor kakelkippen en lawaaipapegaaien (zo noemt hij mensen die te veel kletsen).

Daarnaast heeft hij gemerkt dat de mensen vooral aardig tegen hem doen omdat hij zo beroemd en rijk is. Daar hebben wij allemaal last van.

Gelukkig houdt hij wel van ons. En wij heel veel van hem.

Hij vindt het heerlijk als wij bij hem op zijn kamer komen. We liggen soms met zijn drieën op het kleed voor de open haard, en dan doen we spelletjes of we maken ons huiswerk. Het vuur brandt er zomer en winter, dag en nacht, want mijn vader heeft het altijd koud. Vroeger vertelden we hem altijd wat we die dag hadden meegemaakt. Nu doen we dat steeds minder. Als je veertien bent, wil je niet alles meer aan je vader vertellen. En je wilt al helemaal niet dat het in een boek komt. Niet dat we daar nu nog bang voor hoeven te zijn.

Vroeger gebruikte hij onze verhalen vaak. Als we iets doms hadden gedaan, stond het een half jaar later gedrukt in een boek, of in een tijdschrift of in een column in de krant. En dan zo beschreven dat iedereen er vreselijk om moest lachen.

Iedereen, behalve wij.

Misschien is het dus ook wel een beetje onze schuld dat hij een writer's block heeft. Dat en de dood van onze moeder. Maar daar denk ik liever niet aan. En praten daarover doen we al helemaal nooit.

Ik ben eigenlijk de enige kakelkip in onze familie. Dat is wel saai, want niemand kletst terug. We praten voornamelijk met elkaar via de gele Post-it-briefjes die we overal op plakken. We wonen wel samen in één huis, maar iedereen woont eigenlijk in zijn eigen wereldje.

Ik heb daar eens een droom over gehad, die ik niet kan vergeten. Ik kan lang niet zo goed tekenen als Pip, hoor, maar zo zagen de mensen in mijn droom eruit.

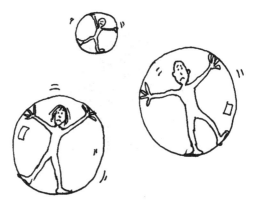

Ze woonden in een soort glazen bellen en zweefden daarin door de ruimte.

Soms kwamen ze bij elkaar in de buurt en plakten ze even tegen elkaar aan, net zoals zeepbellen, en dan keken ze bij elkaar naar binnen. Meer gebeurde er eigenlijk niet. Iedereen zat altijd maar in zijn eentje in zijn eigen bel en zweefde eindeloos rond, door de oneindige koude ruimte.

Pip zit op zijn kamer te tekenen, zoals gewoonlijk. Er staat klassieke muziek op. Wel raar, hè, voor een jongen van veertien. Maar hij vindt het mooi. Ik hou van hiphop en r&b en dat vindt hij weer niks. Beer houdt van Franse kwijlliedjes en van Frank Sinatra en dat soort ouderwetse slijmballen. Je ziet het, we lijken totaal niet op elkaar!

Vroeger zat Pip vaak bij ons, maar de laatste tijd steeds minder. Misschien heeft het met zijn leeftijd te maken.

Hij heeft een grote hoge zolderkamer, met balken, waaraan van alles hangt. Hij maakt vliegdingen die niet kunnen vliegen, van papier en karton, en van wat hij op straat en in vuilnisbakken vindt.

Als hij aan het rondscharrelen is, denken de mensen vast: dat arme kind, hij zal wel niet helemaal goed bij zijn hoofd zijn. Zo rijk en dan nog zit hij in ons afval te rommelen.

Zo nu en dan belt er weer eens iemand aan of op, om het tegen papa te vertellen. Hij antwoordt dan elke keer: 'Sorry mevrouw/meneer, onze Pip is nu eenmaal een straathondje, dat komt in de beste families voor. Goedenavond!'

Wij lachen natuurlijk.

Pips vliegdingen zijn heel mooi. Ze zien eruit alsof ze uit een andere wereld komen, of uit een andere tijd. Ze zweven aan touwtjes onder de balken, tussen de spinnenwebben.

Veel mooier nog is Pips bos. Daar ben ik echt trots op, ook al heb ik het niet eens zelf gemaakt.

Het is geen klein bosje, hoor, het beslaat de hele muur, van de grond tot het plafond, en die muur is minstens zeven meter lang. Het is een muurschildering. Er staat altijd ergens een ladder tegen de muur, voor de hoge stukken. Pip is er twee jaar geleden aan begonnen en er komen nog steeds bijna elke dag dingen bij. Als ik vroeg thuis ben van school, en hij is er nog niet, dan ga ik vaak stiekem naar zijn kamer, om ernaar te kijken.

Er is een donker en dreigend gedeelte, dat noem ik het Boze Bos, en een vrolijk en licht stuk: het Blije Bos.

In het Boze Bos is het winter. Er zitten monsters en spoken tussen de kale bomen en struiken verstopt. Overal zijn enge wezens, die zo de hoofdrol in een griezelfilm zouden kunnen krijgen. Er zijn bloedstollend grote spinnen, vleermuizen en rafelige konijnen met vampiertanden. Er liggen halfvergane lichamen waar slijmerige tentakels uit kronkelen en er zijn skeletten met rode en gifgroene ogen, die je overal lijken te volgen. Als je goed kijkt, zie je dat de bomen gemene gezichten hebben, en hun takken lijken je te willen wurgen. In een heel donker stuk, onder een boom, is een heuveltje met een kruis. Het kruis staat scheef en is bedekt met bladeren en mos. Er staat niks op. Ik weet van wie dat kruis is. Elke keer als ik ernaar kijk, moet ik bijna huilen. Ik vind het niet leuk dat Pip het dáár heeft geschilderd, en niet in het Blije Bos. Het is geen goede plek. Ik heb een keer gevraagd of hij het wilde verplaatsen, maar toen werd hij heel boos en zei dat ik me er niet mee moest bemoeien.

In het Blije Bos is het lente en zomer tegelijk. De bomen staan verder uit elkaar en het zonlicht valt in brede banen tussen de lichtgroene bladeren door, op open plekken met zacht gras. Er bloeien allerlei soorten bloemen en er stromen beekjes met helder water, waarin je gekleurde visjes kunt zien zwemmen. Ze schitteren in het licht.

In het Blije Bos zijn ook vogels, vlinders, eekhoorntjes en konijnen. Er groeien aardbeien en frambozen, die er zo echt uitzien dat je de neiging krijgt om ze te plukken.

Als ik een tijdje op de grond voor het Blije Bos heb gezeten, lijkt het alsof ik het water hoor ruisen en de merels hoor zingen.

Ik zou er in willen stappen, om op het groene gras te gaan liggen en mijn buik vol te eten aan de aardbeien en de bessen, en ik zou er voor altijd willen blijven.

Als ik voor het Boze Bos sta, heb ik het gevoel dat ik in een nachtmerrie verdwaald ben, en ik wil hard wegrennen, of zo snel mogelijk wakker worden.

Pip verschuift zijn bed steeds. Als hij zich goed voelt, slaapt hij voor een vrolijk stuk bos, als hij zich rot voelt of boos is, duwt hij zijn bed naar het enge stuk. Op mijn kamer hoor ik hem soms schuiven en dan weet ik dat er iets aan de hand is.

Zijn bed staat nu al een tijdje voor een nogal mistig en somber deel. Ik maak me zorgen over hem. Ik wou dat ik hem wat vrolijker kon maken. Vroeger lukte me dat bijna altijd, maar het lijkt alsof hij steeds verder wegdrijft in zijn bel.

We zitten niet meer op dezelfde school, dus ik kan hem niet meer beschermen.

Pip wordt gepest en hij heeft een hekel aan leren. Beer heeft hem door alle klassen heen gesleept, maar in groep acht wilde hij niet meer dat zij hem hielp, en toen ging het mis en bleef hij zitten. Alleen maar onvoldoendes op zijn rapport. Behalve voor tekenen natuurlijk. Maar op een tien voor tekenen ga je niet over.

'Kom op, Pip, je moet mee! Ik kan het niet allemaal zelf.'
Pip reageert helemaal niet, zo verdiept is hij in zijn tekening.
'Hé dove! Heb je gehoord wat ik zei?'
'Huh?'
Hij kijkt niet op. Hij zit diep over zijn vel papier gebogen. Zijn
pen gaat snel op en neer en maakt krasserige geluiden. Pip
tekent vaak met zwarte inkt en zijn vingers zitten altijd onder.
Zijn kleren ook, je krijgt het er niet meer uit. Ik moet bijna elke
maand nieuwe broeken en T-shirts voor hem kopen. Dat moet
ik toch wel, want hij groeit opeens heel snel. Hij is al bijna een
kop groter dan ik ben en een halve kop groter dan Beer. Nog
even en hij is net zo groot als papa.
Als ik dichterbij kom, legt hij zijn arm over de tekening heen.
Dat kan ik niet uitstaan. Ik ben vreselijk nieuwsgierig.
Pip veegt een pluk haar uit zijn ogen en kijkt verstoord op. 'Wat
is er nou?'
'Wil je alsjeblieft meegaan naar de winkel? Jij bent de kok en ik
koop altijd de verkeerde spullen.'
'Ik ben bezig, dat zie je toch.'
'Ja, hallo! Maar we moeten toch eten! Denk je dat de bood-
schappen vanzelf naar binnen vliegen?'
'Vraag maar aan Beer.'

'Die heeft morgen twee proefwerken.'

'Zegt ze.'

'Dat is echt waar. We hebben proefwerkweek. Waarom moet ik altijd alles eigenlijk alleen doen? Als ik geen boodschappen deed, waren jullie allang verhongerd!'

Ik stampvoet kwaad.

Pip haalt zijn schouders op en buigt zich weer over zijn papier. Ik loop naar zijn tafel toe en pak het flesje inkt op.

'Als je niet meegaat, gooi ik dit over je tekening heen!'

'Dat doe je toch niet. Geef hier.'

'Dan drink ik het op.'

Pip grijnst en steekt zijn hand uit. 'Doe niet zo raar, mens, dan heb je voor de rest van je leven zwarte lippen en een zwarte tong.'

'Nou en? Kan mij wat schelen.' Ik breng het flesje naar mijn lippen.

'Sam! Debiel!'

Pip grijpt naar het flesje. Hij weet dat ik rare dingen kan doen.

'Ga je dan mee?'

Pip zucht en legt zijn pen neer.

'Nou, vooruit dan.'

'Brave Pip!' Ik zet het potje inkt neer en probeer hem door zijn krullen te woelen. Hij slaat mijn hand weg. Aanraken mag tegenwoordig ook al niet meer.

'Ik ga alleen maar als we niet met het karretje naar huis hoeven te lopen. Dan schaam ik me dood.'

'Oké, ik zal vragen of papa ons met de auto brengt.'

'Pap!' Ik trek een oordop eruit.

'Ja schat?' Mijn vader kijkt niet op. Het is een beetje eng, het lijkt alsof de computer hem betoverd heeft. Hij zit maar naar het beeldscherm te staren en hij groeit langzamerhand helemaal krom. Ik haat die computer.

'Ik heb je post meegebracht.' Ik leg het stapeltje brieven op zijn bureau. Mijn vader maakt ze meestal niet open. Soms ben ik bang dat er opeens een man voor de deur staat, met een enorm pak rekeningen die niet betaald zijn, en dat wij uit ons huis gezet worden en failliet zijn. Of nog erger: dat ik in een winkel sta en net een fantastische spijkerbroek wil afrekenen, en de PP het niet meer doet.

Er zit een knalrode envelop bij. Zou dat gevaar betekenen? Ik wijs ernaar. 'Wat is dat?'

'Wat zeg je?'

Ik haal de andere oordop er ook uit.

'Wat is dat voor een brief?'

'Weet ik niet,' zegt mijn vader. 'Er staat geen adres op. Reclame waarschijnlijk.'

'Mag ik hem openmaken?'

Mijn vader knikt afwezig. Zijn vingers hangen als dode spinnenpootjes boven het toetsenbord.

Ik scheur de envelop open. Er zit een gele brief in.

Ik vouw hem open en lees hem.

*Is dit liefde?*

| | |
|---|---|
| *Niet de jager* | *maar de gejaagde* |
| *Niet de slaaf* | *maar de verslaafde* |
| *Niet de dronkaard* | *maar de verdronkene* |
| *Niet de eenzame* | *maar de verlatene* |
| *Niet het afscheid* | *maar de afgescheidene* |
| *Niet de jouwe* | *maar de mijne* |
| *Niet een warm bad* | *maar een koud bed* |
| *Niet twee* | *maar één* |
| *Niet nu* | *maar nooit* |

Ik krijg er een rilling van. 'Dat is raar, het is een gedicht. Hier, lees maar eens.'

Mijn vader zucht en pakt met duidelijke tegenzin de brief aan. Het is stil in de kamer. De klokt tikt. Ik heb geleerd mijn kwebbel dicht te houden als papa iets aan het doen is, anders raakt hij geïrriteerd en stuurt hij me weg.
Mijn vader zucht. Hij doet lang over zo'n paar regeltjes.
'Mooi,' zegt hij ten slotte.
'Er staat geen naam onder,' zeg ik.
'Misschien is het verkeerd bezorgd.' Mijn vader legt het gedicht naast zich neer en wrijft in zijn ogen.
'Heb je weer hoofdpijn?'
Hij knikt en staart naar zijn computer. Het beeldscherm is een groot zwart gat dat hem opzuigt. Zou hij door dat vreemde gedicht nu aan hetzelfde denken als ik? Aan onze dode moeder? Ik durf het niet te vragen.

'Hé, ik sta hier al een uur te wachten. Gaan we nou nog, of niet?' gilt Pip van beneden.
Mijn vader pakt zijn oordoppen op en wil ze weer indoen.
Ik sla mijn arm om zijn nek en druk mijn gezicht tegen zijn prikkerige wang aan. 'Pappie, wil je met Pip en mij naar de winkel gaan? Anders lopen we weer straal voor gek met het karretje over straat.'
'Sammie, ik zit net met een heel moeilijk probleem en dat wil ik eerst oplossen.'
'Ik zie niks, je scherm is zwart.'
'In mijn hoofd, Sam, het zit in mijn hoofd.'
Ik trek aan zijn oren. 'Pap, dat probleem wacht nog wel een dagje en je hoofd ook. Mijn rammelende maag niet. En even het huis uit zal je goeddoen. Kom op, rij Pip en mij even naar de supermarkt. Er is helemaal niks meer te eten in huis.'
Mijn vader zucht. Hij staat op en strekt kreunend zijn rug.
'Misschien heb je wel gelijk, Sammie, maar ik ga niet mee naar binnen, hoor. Ik wacht wel op jullie in de auto.'

'Even wachten, Pip! Ik kom zo. Eén minuut, ik moet nog even iets aan Beer vragen!'

Ik ren door de lange gang. Wij wonen in een groot oud huis, met wel twaalf kamers. De helft ervan staat leeg. Er zijn drie badkamers. Bij nummer een stinkt het en bij nummer twee is de wastafel verstopt en is de stop van het bad weg. We gebruiken dus alleen maar nummer drie. Een klein huis zou een stuk makkelijker zijn, want daarin krijg je minder troep. Maar het is ook heel leuk, hoor. Je kunt van de trapleuningen af roetsjen, op je sokken glijbaantje spelen op het parket in de gangen en geweldig goed verstoppertje spelen. Dat deden we vroeger heel vaak. Beer was altijd kampioen 'niet gevonden worden'. Urenlang hebben Pip en ik naar haar gezocht. Die slimmerik had altijd wel een boek bij zich, zodat ze zich niet ging vervelen. Pip hadden we meestal zo te pakken, want die is bang voor donkere plekken en hij kon ook nooit zijn lachen inhouden. Tegenwoordig doen we het nooit meer, dat is eigenlijk wel jammer. Misschien zijn we er te groot voor geworden. Ik wel in ieder geval. Ik voel me soms wel een oude taart van vijftig. Ik sta stil voor Beers kamer. De deur staat half open en het is stil.

Ik heb een paar weken geleden een MP3-speler voor haar gekocht, dan hoeven wij dat Franse gejammer niet meer aan te horen.

Beers kamer is een puinhoop. Langs één wand staat een enorme boekenkast. Die is propvol. Er slingeren vuile kleren rond en overal waar je kijkt, liggen stapels boeken. Tussen die stapels door is een pad van de deur naar haar bureau, en een pad naar haar bed.

Ik gebruik mijn PP om kleren te kopen, Beer gebruikt de hare voor boeken. En voor snoep natuurlijk. Beers favoriete vrije-tijdsbesteding ziet er volgens mij zo uit: eerst gaat ze naar de boekwinkel en daar koopt ze zoveel boeken als ze dragen kan. Dan koopt ze ergens een flinke hoeveelheid snoep. Daarna sluit ze zich op, en komt ze alleen maar van haar kamer af voor het avondeten. Dat lust ze dan óók nog! Ik snap niet hoe ze het voor elkaar krijgt.

Beer snoept stiekem. De papiertjes stopt ze in een vuilniszak onder haar bed. Ze heeft zelfs een tijd lang een geheim snoep-dagboek bijgehouden. Daarin plakte ze alle verpakkingen van het snoep dat ze opgegeten had!

Dat was lachen, toen ik dat vond! Als grapje had ik een wikkel van een blik bruine bonen erbij geplakt. Ze was woedend toen ze het ontdekte. Sindsdien mag ik niet meer op haar kamer als ze niet thuis is. En ik mag ook al niet bij Pip op zijn kamer komen, omdat ik een keer voor de grap een kabouter op een paddestoel in het bos erbij geschilderd heb. Een piepklein schattig mannetje, ergens heel onopvallend verstopt onder een struik. Hij was heel goed gelukt, voor mijn doen dan.

Pip zag het meteen en kwááad dat hij was. Maar hij heeft hem niet weggeschilderd. Hij zit er nog steeds.

Zo is Pip.

Ik klop op de deur en loop meteen maar door. Beer zit in kleermakerszit op haar bed, omringd door boeken. Naast haar ligt een grote zak drop.

'Beer, wil jij de oude rotzooi uit de koelkast halen terwijl wij boodschappen doen? Ik heb er geen tijd meer voor, papa en Pip staan op me te wachten.'

'Saaaaam!' schreeuwt Pip van beneden. 'Ik wacht niet langer, hoor!'

Beer merkt niet eens dat ik er ben, zo ingespannen zit ze te lezen en te kauwen. Of ze doet net alsof. Als het gaat om dingen die gedaan moeten worden in huis, is iedereen Oost-Indisch doof.

'Beeheer!'

Geërgerd kijkt ze op uit haar boek en ze trekt één oortelefoontje eruit. 'Mens, je hoeft niet zo te schreeuwen! Ik hoor je heus wel, hoor. Hou toch op met dat gecommandeer. Ik ben je hondje niet!'

'Waarom doe je dan net alsof je me niet hoort?'

'Omdat ik aan het leren ben, dat zie je toch?'

Beer zit op het gymnasium en haalt alleen maar negens en tienen. Als ze een keer een acht haalt, denkt ze dat ze blijft zitten. Ik zit op het vmbo. Dat is goed genoeg voor mij. Tienen interesseren me niet.

'Maar je moet tóch de koelkast leegmaken. En schoonmaken zou ook geen slecht idee zijn. Er zit schimmel in.'

'Doe het zelf. Ik heb morgen een proefwerk.'

Ik kan me niet meer inhouden. 'Ja, ik toevallig ook, hoor!' schreeuw ik. 'Maar we moeten ook eten! Ik ben de enige hier in huis die iets doet! Jullie zijn allemaal luilakken. Wat zou er gebeuren als jullie mij niet hadden? Dan zouden jullie verhongeren en omkomen in de troep!'

Beer haalt haar schouders op, staart hardnekkig in haar boek en propt nog een handvol drop in haar mond. 'Ik verhonger niet,' mompelt ze.

Ik haal diep adem. Ik zou nu het liefst door de kamer rennen en alle stapels boeken omvertrappen. Maar dat kan ik beter niet doen. Beer raakt niet onder de indruk van mijn driftbuien. Schreeuwen helpt niet bij haar. Ze is een soort olifant.

'Zeg, kom je nou nog of niet?' gilt Pip.

Ik loop tussen de boeken door naar haar bureau en pak een geel briefje van het blokje.

Beer!
Ik ga nu boodschappen doen. Maak aub vrplies de koelkast schoon (en leeg!) dan zal ik 'm VOlstoppen met LEKKERE DINGEN
taart
pizza
DANK U HARTELIJK
Sam.
slagroom SOEZEN!!

Pip maak ik bang als ik iets gedaan wil krijgen; Beer koop ik om. Ik plak het briefje op haar voorhoofd. Ze heeft pukkels. Ze zou er spul voor moeten gebruiken, maar het kan haar niks schelen. Ze slaat ook al mijn hand weg.

'Doe je het, Beertje?'

'Misschien,' bromt Beer. 'Ga nou maar weg.'

Hoofdstuk
5
Boodschappen
doen

Ik heb een hekel aan de supermarkt, omdat iedereen altijd naar ons kijkt. Hier in de buurt kennen ze ons allemaal. Wij zijn die arme rijke kinderen zonder moeder, met die vreemde vader, uit dat grote verwaarloosde huis.

'Hé Samantha!' Een meisje met neprood haar, sproeten en enorme bungeloorbellen stormt op me af. Helemaal uit, die oorbellen, geen gezicht. Ze heet Elise en ze zit bij mij op school, twee klassen hoger. Ze slooft zich altijd ontzettend uit om mijn vriendin te worden. Net zoals veel andere meisjes trouwens. Ik weet best dat ze dat niet doen om wíé ik ben, maar om wát ik ben: de dochter van een beroemde schrijver die bulkt van het geld.

Iedereen wil altijd met me afspreken. Maar ik neem nooit iemand mee naar huis.

'Hoe is het?' vraagt Bungeloorbel en ze neemt me van top tot teen op.

'Geweldig, dank je,' zeg ik en ik loop gewoon door.

Elise trippelt vrolijk mee. 'Hé, moet je horen, ik geef zaterdag een feest. Heb je zin om te komen? En misschien wil je broer ook wel?' Ze knipoogt en wijst naar Pip, die een stuk verderop pakken ijs in het karretje opstapelt. Pip is langer dan ik en best knap, met grote blauwe ogen en lange donkere krullen. Nog even en we zullen de meisjes als lastige plakvliegen van hem af moeten meppen.

'Nee, dank je,' zeg ik.

Bungeloorbel gaat voor de kar staan en zegt met een overdreven teleurgesteld gezicht: 'Wat jammer nou! Waarom niet?'

Omdat jij een domme verwaande troela bent en we helemaal geen vriendinnen zijn en ik dat ook absoluut nooit niet wil worden met iemand die zulke oorbellen draagt.

Maar dat zeg ik niet. Ik ben een flapuit, maar voornamelijk in gedachten.

'We kunnen zaterdag niet,' lieg ik. 'Uhm... We krijgen bezoek.'

'Ooo, vast en zeker een beroemd iemand!' kirt Elise en ze klapt in haar handen. 'Jouw vaders boeken zijn toch verfilmd, hè? Met heel bekende filmsterren. Dat vertelde mijn moeder. Ze heeft pas een film van hem gezien en ze vond hem kei- en keigoed! Mijn moeder zegt dat je vader een genie is!'

Iedereen denkt dat er constant filmsterren bij ons over de vloer komen. Dat is helemaal niet zo. Mijn vader bemoeit zich niet eens met de films. Vroeger wel. Toen waren er ook wel eens feestjes. Ik vond die filmsterren meestal helemaal niet aardig. Ze praatten alleen maar non-stop over zichzelf.

Ik buk me en pak drie dozen met kersenbonbons uit het schap. Die vindt papa lekker.

'Vertel eens, wie krijgen jullie op bezoek?' vraagt Bungeloorbel met glanzende ogen.

Jeetje, wat onbeschoft. En ze staat veel te dicht op me. Ik vergas bijna in haar goedkope parfum. Ik doe een stap achteruit.

'De vuilnisman,' zeg ik, om haar te pesten.

'De vuilnisman?' Haar gezicht betrekt. 'Dat meen je toch niet?'

Ik grijns. 'Jawel, hoor. Hij is een goede vriend van mijn vader.'

Wij wonen in een kakdorp. Als je geen acteur, notaris of

27

minister-president bent, ben je niks. Een tandarts is al redelijk ordinair.

'De vúílnisman!' Elise kijkt me met uitpuilende ogen aan. Ze weet niet of ik serieus ben of niet. Ik vertrek geen spier.

'Elise, duifje, ben je hier! Ik was je al kwijt!'

Het is haar moeder, de megakakker. Grijs pakje, parelketting, hoge hakken, nog hoger kapsel, bruingebakken onder de zonnebank, gifroze lippenstift en mislukt gefacelift. En geblondeerd. Zó afgezaagd.

'O, dag Samantha, kindje! Hoe gaat het toch met jullie? Redden jullie je een beetje? Hoe is het met je vader? Ik zie hem nooit meer. Het is zo'n aardige man. Ik wilde hem eens uitnodigen voor een gezellig dineetje met wat mensen van de eetclub.'

Ze heeft de blik in haar ogen die iedereen heeft. Het is een mengsel van medelijden, nieuwsgierigheid, dollartekens en een soort haaierige vraatzucht. Ik haat die blik.

O mevrouwtje, mijn vader heeft daar echt geen tijd voor. Hij heeft tegenwoordig een groot rond roodfluwelen bed, wel vijf meter in doorsnee, en er logeren elke avond minstens tien blonde dames met van die bunny-oortjes bij ons. Heel gezellig! En ze maken 's ochtends ontbijt voor ons klaar. Pannenkoeken en champagne! Hebt u misschien zin om eens bij óns langs te komen? Alhoewel, u bent wel een beetje aan de verrimpelde kant.

Maar dat zeg ik ook niet, held die ik ben.

Ik steek mijn kin in de lucht en trek mijn wenkbrauwen hoog op. 'Het gaat uit-ste-kand met mijn vader,' zeg ik, met een overdreven kakaccent. 'Hij heeft het veel te drok voor de eetclub. Maar nu moet ik helaas gaan, anders smalt ons ijs. Dag Elise, dag mevroi.'

'Komt er een vuilnisman bij ons eten?' vraagt Pip als we proestend van het lachen bij de kassa staan.

'Nee, joh, ik verzon maar wat, om die Bungelmiep van mijn lijf te houden. Ze zit bij mij op school. Doodeng kind.'

'Jeetje Sam, dat je dat durft. Ben je nou niet bang dat ze je hiermee gaat pesten?'

'Ik niet. Kan mij wat schelen.'

'Ze staan achter die stapel pleepapier naar ons te gluren en te fluisteren.'

'Niet kijken,' zeg ik. 'Sjips! De slagroomsoezen vergeten. Rennen Pip! Vijf dozen! En opschieten, want als de dames Haai papa buiten in de auto ontdekken, zijn we de klos.'

Het is laat. Ik lig in mijn bed, maar ik ben zo moe dat ik niet kan slapen. Dat gebeurt vaak en dat is heel lastig, want ik sta altijd vroeg op om mijn huiswerk te doen. Morgen proefwerk. Ik weet niet eens welk vak.

We hebben om half twaalf nog een enorme afwas met de hand gedaan, want de afwasmachine is stuk. Gelukkig hielpen Beer en Pip mee. Het eten was heel lekker. Macaroni met kaas, mijn lievelingseten. En daarna ijs met kersenbonbons en slagroomsoezen toe.

Ik zal mijn kamer eens beschrijven: het opvallendste is mijn giga-kleerkast, met spiegels. Hij is wel vijf meter lang, maar nog veel te klein. Ik denk dat ik binnenkort een van de leegstaande kamers als kledingmagazijn ga inrichten. Mijn kamer is de netste van het huis. Ik kan niet tegen troep. Kun je nagaan hoe gek ik word van de rommel in de rest van het huis.

Ik heb een grote televisie en die staat aan het voeteneinde van mijn bed. Ik vind het heerlijk om tussen de kussens in genesteld tv te kijken, of tijdschriften te lezen. Helaas heb ik daar niet zo veel tijd voor.

Ik heb een groot balkon, dat uitkijkt op de tuin. Vroeger was onze tuin heel mooi, met paadjes, rozenstruiken, bloemperken en fruitbomen. Nu is het een wildernis. Onder mijn balkon ligt het zwembad. Als ik hard af zou zetten, zou ik er zo in kunnen springen. Maar dat is niet zo'n goed idee, want het water ziet eruit alsof het erwtensoep is. We weten niet hoe we het schoon moeten houden. Dat deed Koos de tuinman altijd, maar die is nu al bijna twee jaar weg.

We hebben hem ontslagen omdat hij een dief bleek te zijn. Daar ben ik achter gekomen. Op een dag vond ik in de plantenkas allemaal spullen van ons. Tafelzilver, schilderijen, boeken, een antieke klok, een beeldje, een fototoestel en zelfs twee paar dure schoenen die ik kwijt was!

Het was best eng, want Koos kwam net binnen toen ik zijn schat ontdekte. Hij werd heel kwaad en begon me te bedreigen en zo. Ik heb hem met de hark op zijn kop geslagen. Met de platte kant, hoor, ik ben geen moordenaar.

In diezelfde tijd hebben we ook onze vijfde au pair, Didi Drankneus, eruit geknikkerd. Ze deed helemaal niks, ze zat alleen maar champagne te drinken voor de tv. Dat hadden we eerst niet door, want ze schonk het over in tonicflessen. Wij lusten dat niet, dus ze dacht dat het veilig was. Op een nacht had Beer dorst en er stond alleen nog maar tonic in de koelkast. Ze heeft toen bijna een hele fles leeggedronken. Ze kwam lallend mijn kamer binnengestommeld, met de fles in haar hand. Met dubbele tong zei ze dat tonic toch wel erg lekker was, en of ik wist wat er met het huis aan de hand was, want het draaide helemaal.

De volgende ochtend had ze knallende koppijn en zag ze groen en geel van de misselijkheid. We zijn op onderzoek uitgegaan en in een donkere hoek van de kelder vonden we een hele berg lege champagneflessen. De wijnvoorraad was trouwens ook verdwenen.

Vóór Didi hadden we Katrien Duck. Ze heette eigenlijk Karina, maar mijn vader noemde haar zo, omdat ze aan één stuk door kwekte. Ze herhaalde alles wat ze zei wel tien keer en het ging alleen maar over de soaps waar ze de hele dag naar keek. Ze probeerde papa te versieren, maar dat lukte natuurlijk niet, want als hij ergens een hekel aan heeft, is het aan kletskousen. Papa werd knettergek van haar en na twee maanden plakte hij een geel briefje op haar slaapkamerdeur.

Ik heb het bewaard, bij mijn verzameling Bijzondere Briefjes, die aan de binnenkant van mijn kastdeur zitten geplakt.

Beer en ik lagen in een deuk toen we het zagen hangen. Pip was bang dat ze het niet zou snappen en met het geld gewoon lekker naar Disneyland zou gaan, dus hij had er voor de duidelijkheid een tekeningetje bij gemaakt.

Oei, oei, wat was Katrientje kwaad. Kwekkerdekwek-kwek.

Daarvoor hadden we Lludmilla. Die noemden we altijd Bloedmilla, maar alleen als ze niet in de buurt was, want we waren bang voor haar. Ze had het figuur van een kleerkast, grotere spierballen dan Arnold Schwarzenegger en ze sprak ongeveer vijf woorden Nederlands: 'Oprojmen! Blaif af! Stoute kiender!' Zij was de enige van alle au pairs die niet in papa geïnteresseerd was. Ze hield het huis keurig netjes, je kon eten van de wc-bril, zo schoon was die. Maar ze was verschrikkelijk streng. Ze had vaak een pesthumeur en haar handjes zaten nogal los.

Ze heeft Pip een keer zo'n harde draai om zijn oren gegeven dat hij door de halve keuken vloog. Toen heb ik haar een mep met de koekenpan verkocht. Gelukkig kwam papa op dat moment de keuken binnen, anders had ik het misschien niet meer kunnen navertellen. Of Bloedmilla niet.

GEACHTE MEVR.
LLUDMILLA

U BENT OP STAANDE VOET
ONTSLAGEN.
(MISSCHIEN IS HET IN RUSLAND
NORMAAL OM KINDEREN TE
SLAAN MAAR HIER NIET!)

Bij dit briefje had Pip natuurlijk ook weer een tekening gemaakt, omdat hij bang was dat ze het niet kon lezen.

We hebben ook twee heel lieve au pairs gehad. Dat was eigenlijk nog erger.

Margo was bij ons vanaf onze geboorte totdat we zeven waren. We noemden haar mama en ze was ontzettend lief. Wij dachten natuurlijk dat zij onze moeder was, wisten wij veel. Toen we een jaar of zes waren, heeft papa het ons verteld. Ik weet nog goed hoe woedend en verdrietig ik was.

Vanaf dat moment had ik nachtmerries dat Margo weg zou gaan. En dat deed ze uiteindelijk ook. Toen we zeven waren, werd ze verliefd op een Spanjaard. Een jaar later ging ze trouwen en vertrok ze naar Spanje. We krijgen nog steeds elk jaar op onze verjaardag en met Kerstmis een kaartje van haar. Ik heb uit die tijd ook nog een geel briefje.

Ze had gezegd dat ze bij Sinterklaas ging wonen, in Spanje.
Sinds die tijd vieren wij alleen nog maar Kerstmis.

Het was vreselijk toen ze wegging. Pip heeft maanden niet meer willen praten, en hij had alsmaar buikpijn. Hij heeft zelfs voor onderzoek in het ziekenhuis gelegen, en hij is ook onderzocht door een psycholoog, maar ze konden niks vinden. Beer is volgens mij in die tijd begonnen met zoveel te eten en ik ben wel een half jaar woest geweest op papa. Terwijl hij er natuurlijk niks aan kon doen.

Een paar maanden na Margo kwam Jessica. In het begin was ze ontzettend aardig voor ons. Ze was jong en heel knap, net een filmster. Ik was gek op haar. Ze nam mij altijd mee uit winkelen. Beer en Pip wilden nooit mee. Ze kocht een paar keer per week mooie kleren voor mij en voor zichzelf, en daarna gingen we altijd naar de lunchroom ijsjes eten. Allemaal van papa's geld, maar dat had ik toen natuurlijk nog niet in de gaten.

Mijn vader werd verliefd op haar en vroeg haar ten huwelijk. Ik denk dat hij graag wilde dat we een nieuwe moeder kregen. Eentje die bij ons zou blijven.

Jessica zei ja, maar de dag voor hun bruiloft eiste ze dat wij naar een kostschool gingen. Dat werd een knallende ruzie.

Jessica vond de volgende ochtend dit briefje:

JESSICA,
IK KIES VOOR MIJN
KINDEREN. JE KAN
JE BRUIDSJURK HOUDEN
MAAR MIJ <u>NIET</u>

Ik heb het uit de prullenbak gevist, daarom is het zo gekreukt. Mijn vader was er helemaal kapot van. Hij dacht echt dat ze van hem hield, maar dat was dus helemaal niet zo, ze had maar gedaan alsof. Ze wilde alleen maar het luxeleventje dat papa haar kon geven.

Wij hebben twee weken lang bruidstaart gegeten. Uit die tijd kwam ook onze enorme champagnevoorraad, die was ingeslagen voor het feest.

Toen ze weg was, was ik weer ontzettend kwaad. In de eerste plaats op haar, omdat ze papa zo'n verdriet had gedaan. Maar ook op mezelf, omdat ik me zo voor de gek had laten houden. Daarna heb ik met mezelf afgesproken dat ik me nooit meer aan iemand zou hechten.

Sinds Didi Drankneus hebben we geen personeel meer. We hadden er echt genoeg van. We hebben nog wel een paar keer een werkster gehad, maar dat was ook geen succes.

Ik dwaal af, ik was mijn kamer aan het beschrijven.

Het tweede opvallende in mijn kamer is Annabel. Ze is een etalagepop, ongeveer even groot als ik en heel mooi. Ik heb hem van mijn oma gekregen. Wij mogen altijd een verlanglijstje schrijven voor Kerstmis en dan stuurt ze de cadeaus op.

Kun je je voorstellen hoe wij dubbel lagen toen de postbode met Annabel voor de deur stond? Ze was ingepakt in roze pakpapier; en ze droeg keileuke kleren, die mij precies pasten. Oma had Beer stiekem gebeld en mijn maten gevraagd.

Ik zocht mijn kleren altijd een dag van tevoren uit, zodat ik 's morgens niet na hoefde te denken over wat ik aan zou trekken. Die kleren deed ik Annabel dan aan om te kijken of het een leuke combi was. Alleen de laatste tijd ben ik 's avonds zo moe dat ik dat niet meer doe. Ze heeft nu al een hele tijd hetzelfde aan.

Hoofdstuk
7
Erwtensoep

Beer!
Wat ben jij een
ongelofelijk duf-
Kijk eens in het
zwembad !!!!!
Sam (kei-boos!)

Wat een middag. Beer had de vuilniszakken met beschimmelde
rommel uit de koelkast naast het zwembad gezet. En ze had ze
niet dichtgemaakt! Wat een sufferd! De katten van de buren
hadden de vuilniszakken binnenstebuiten gekeerd en een deel
van de rommel was in het zwembad beland.
Er dreven negen pakken vanillevla, drie pakken yoghurt, zes
melkpakken en drie ijsdozen in rond. Ik zag het vanmiddag
toen ik vanaf mijn balkon naar beneden keek.
Ik had de troep eigenlijk meteen moeten opruimen, maar ik
wilde eerst naar mijn favoriete soap kijken. Ik lag lekker tussen
de kussens toen ik buiten opeens 'Help! Help!' hoorde,
vergezeld van een hoop gehoest, geproest en gesputter.

Ik rende mijn balkon op en keek naar beneden. Daar spartelde Pip, midden in de erwtensoep, met een schepnetje in zijn ene hand en een melkpak in zijn andere.

'Sta daar niet zo stom te lachen!' riep hij woest. 'Uche, uche, gorgeldegorgel.'

Ik lag dubbel. 'Hé Piepje! Je lijkt wel een kruising tussen een marsmannetje en het monster van Loch Ness!'

Oei, dat 'Piepje' had ik niet moeten zeggen. Daar kan hij niet tegen. Het floepte er per ongeluk uit.

Pip werd nog woester, verslikte zich in de vieze drab en ging kopje-onder. Ik holde naar beneden, maar toen ik bij het zwembad aankwam, was hij er al uit gekrabbeld.

Nu zit hij al de hele middag op zijn kamer, met de deur op slot. Zijn bed staat vast voor een gruwelijk stuk van het Boze Bos. Beer is nog niet thuis. Ze heeft extra lessen, Spaans, sterrenkunde en nog wat.

Ik pieker me suf of ik de dokter moet bellen. Pip heeft volgens mij een heleboel van dat smerige erwtensoepwater binnengekregen. Stel je voor dat hij een salmonella-uitbarsting krijgt, of de tyfus of een andere enge ziekte. Dan is het mijn schuld. Hij ging kopje-onder omdat ik hem Piepje noemde.

Ik klop bij papa aan, maar hij antwoordt niet.

Er hangt een briefje op zijn deur.

LIEVE SAMBEERPIP,
IK DOE EEN MIDDAG-
SLAAPJE.
(KON VANNACHT NIET
SLAPEN)
XXX ZZZZZZZPAP

NIET
STOREN
SVP

Nou, lekker. Zit ik weer met de zorgen opgescheept.

'Hé Pip, doe eens open!' Ik klop op zijn deur.
'Nee, ga weg.'
'Pip, ik lachte je niet uit. Je zag er gewoon zo raar uit met al dat groene spul.'
'Donder op!'
Ik hoor aan zijn stem dat hij zijn tranen probeert tegen te houden.
'Hè Pip, toe nou. Sorry dat ik "Piepje" zei. Het spijt me echt. Ik heb een heel lekker recept gevonden. Misschien kunnen we samen koken vanavond.'
Ik had er bijna bij gezegd: het is geen erwtensoep, maar ik hield me net op tijd in.
Stilte.
'Pip?'
Geen antwoord. Ik voel aan de deur. Hij is helemaal niet op slot. Pip ligt op zijn bed, in zijn smurriekleren en met zijn gezicht in zijn handen verborgen. Zijn bed zit onder de viezigheid van het zwembad.
Ik plof naast hem neer. Het stuk van het bos waar hij voor zit, is inderdaad angstaanjagend. Er ligt een halfvergaan lijk tussen de struiken en er kruipen enge wriemeldieren uit. Het lijk heeft wel iets weg van Lludmilla en er ligt een koekenpan naast. Ik onderdruk een grijns. Pip kan echt griezelig goed tekenen.
'Pip, zeg eens wat.' Ik probeer zijn handen voor zijn ogen weg te halen. 'Zo erg is het toch niet? Ik vond het heel lief van je dat je die troep eruit probeerde te vissen. Ik was het ook van plan, hoor, maar er was net iets leuks op tv.'
Urgh, wat een stank. Tyfus, de pest of een enge huidziekte. Of misschien wel van die wriemelende beesten in zijn ingewanden!

'Pip, je moet je uitkleden en onder de douche, dadelijk word je ziek. Ieeek! Er beweegt iets in je haar!'

Pip springt overeind en schudt wild zijn hoofd heen en weer.

'Watishetwatishet? Getver-ieeeekjasses!' Hij rent naar de badkamer, met mij op zijn hielen.

'Het zit er nog in, het zit vast!' gilt hij met hoge stem.

Soms is hij echt net een meisje.

Plotseling stokt mijn adem. 'Pip, wat is er gebeurd?'

Ik zie het nu pas. Hij heeft een blauw oog en een gezwollen lip, en er is een hoekje van zijn tand af.

'Jeetje Pip! Wie heeft dat gedaan?'

Hij begint te huilen. 'Ik ben met de fiets gevallen, verder niks. Echt niet!'

'Je moet naar de tandarts! En naar de dokter!'

'Helemaal niet! Haal dat enge ding nou uit mijn haar! Het beweegt, ik voel het!' Zijn stem klinkt schril en paniekerig.

De mijne ook, geloof ik. Ik probeer rustig te worden en graai in zijn lange krullen. Zijn haar moet hoognodig weer eens geknipt worden. Dat doe ik altijd zelf. Hij wil nooit naar de kapper, net zoals papa.

'Pip, het is een kikkertje! Het leeft nog!'

'O, een kikker.' Er klinkt opluchting in zijn stem.

Ik zet hem op zijn uitgestoken hand en bekijk zijn blauwe oog van dichtbij.

'Ik geloof er niets van dat je van je fiets gevallen bent. Zeg op: wie was het, dan mep ik hem of haar in elkaar!'

Pip schudt koppig zijn hoofd. 'Ik zeg het toch, ik ben gevallen.'

'Je moet zeggen wie het was. We moeten er iets aan doen! Ik ga naar de directeur van je school toe, of... of naar de politie. Dit is nu al de tweede keer in een maand tijd!'

Pip begint alweer te huilen. 'Dat doe je niet. Doe nou niet zo belachelijk, mens, de politie! Ik ben gevallen, dat zeg ik toch al de hele tijd!'

Ik haal diep adem. Rustig blijven, Sam.

'Laat me met rust,' snikt Pip. 'Ga weg.'

'Oké. Maar dan ga jij nu meteen douchen. Geef het kikkertje maar aan mij, dan gooi ik hem terug in de erwtensoep.'

'Nee, niet doen, dan gaat hij misschien dood,' snuft Pip. 'Ik zet hem wel zolang in het bad.'

Ik zucht. 'Ook goed.'

Pip is een dierenvriend. Hij maakt helemaal niks dood, zelfs geen enge spinnen, wespen en muggen. Laatst hadden we een explosie van fruitvliegjes in de vuilnisbak in de keuken. Ik wilde ze doodspuiten met vergif, maar dat mocht niet. Pip probeerde ze te vangen en stuk voor stuk naar buiten te brengen. Daar is hij de hele middag mee bezig geweest. Toen waren er nog maar een stuk of honderdduizend over.

Ik heb de dokter maar niet gebeld. Als hij ziet hoe wij hier leven, haalt hij vast de kinderbescherming erbij. En voordat je het weet, zitten we in een kindertehuis of zoiets. En dat is het laatste wat we willen.

Ik heb daar wel eens nachtmerries van. Dat we uit elkaar gehaald worden, en papa alleen achterblijft...

Het is hier wel een beetje een chaos, maar we redden ons prima en we hebben het hartstikke gezellig samen.

Geleend, ammehoela! Gepikt! En nu is het model tent.

Ik storm naar Beers kamer. 'Doe open! Doe open die deur!'

Beer doet natuurlijk helemaal niet open. De muziek staat hard. Ze heeft een hekel aan kleren kopen. Ze schaamt zich omdat ze zo dik is, dus 'leent' ze ze van mij. Ze denkt dat ik het niet merk, omdat ik er zoveel heb. Maar ik merk het heus wel. Ze pakt altijd mijn mooiste dingen.

'Beer, je hebt ook mijn roze T-shirt gepikt! Dat is net nieuw en ik wilde het morgen aandoen. Geef onmiddellijk terug!'

Beer zet de muziek nog harder.

'Zet die stomme muziek af, oelewapper! Doe open!' Ik rammel aan de deur.

Opeens moet ik huilen. Ik loop terug naar mijn eigen kamer en doe de deur ook op slot.

Ik ben moe. Moe van dat ik alsmaar overal voor moet zorgen. Moe van alle verantwoordelijkheid. En vooral moe van alles te begrijpen.

Als je de dingen begrijpt, kun je niet eens fatsoenlijk boos worden. Ik snap bijvoorbeeld best dat Beer niet naar de winkel durft. Dat zou ik ook niet durven als ik haar was, met al die vetribbels. Maar ze moet van mijn spullen afblijven.

'Sam, kom je eten?'

Het is Pip. Er kruipt een heerlijke geur onder mijn deur door. Mijn maag rammelt. Ik heb even geslapen, geloof ik, het is al half tien. Ik schrik. Morgen heb ik twee proefwerken en ik heb er nog niks aan gedaan.

'Sam, kom je? Het eten staat op tafel.'

Ik hoor hem wegsloffen.

Hij is hartstikke lief. Het is zo gemeen dat ze hem pesten. Hij verdient het niet. Er komt weer een vlaag woede en machteloosheid omhoog. Ik spring uit bed, was mijn gezicht met koud water en ren naar beneden.

Pip heeft het recept gemaakt dat ik op zijn bed had laten liggen. Lasagne met room, spinazie en pijnboompitten.

Beer zit aan de keukentafel over een boek gebogen en kijkt niet op als ik binnenkom. Ze heeft een oud verschoten truitje aan, dat veel te klein is.

Ik zeg niks. Pip is weer schoon, maar zijn gezicht ziet er gehavend uit.

'Eet papa niet mee?'

'Ik heb op zijn deur geklopt, maar hij geeft geen antwoord. Hij

slaapt nog, denk ik. Ik zet wel wat apart, dan kan hij dat opwarmen in de magnetron.' Pip praat raar door zijn gezwollen lip.
Beer kijkt op uit haar boek. 'Wat is er met jou gebeurd?' Ze loopt naar Pip toe, die met de lasagne in zijn handen staat. Hij heeft ovenhandschoenen aan en een schort voor.
Beer fluit. 'Tjeetje, dat ziet er niet best uit. Doet het pijn?'
Pip schudt van nee.
'Kun je wel eten?'
'Best wel, en laat me nu los, anders krijg je deze schaal op je tenen.'
Ik zie dat hij de tranen in zijn ogen wegknippert.

Op tafel staat een rij van wel twintig gekleurde glaasjes met waxinelichtjes erin. Die heb ik een paar dagen geleden gekocht, om het huis gezelliger te maken. Pip heeft ze aangestoken. De lichtjes dansen in de glazen, want het tocht nogal in onze grote oude keuken. We hebben de lamp boven de tafel uitgedaan en we eten zwijgend. Beer leest intussen gewoon door, dat doet ze altijd. Ze heeft twee kaarsjes voor haar boek gezet om beter te kunnen zien. Ze smakt. Pip lepelt met één hand zijn eten naar binnen en met de andere zit hij op een Post-it-briefje poppetjes te krabbelen. Ik heb een modetijdschrift voor me liggen.
's Avonds samen eten vind ik het fijnste moment van de dag. Behalve als Pip geen zin heeft om te koken, dan smeren we allemaal gewoon een boterham en die eten we in onze kamer op.
De lasagne is heerlijk. Pip wordt later misschien een beroemde kok, of een kunstenaar. Hij kan zo veel dingen goed. En Beer krijgt later de Nobelprijs voor iets geleerds. Ze wordt vast wetenschappelijk onderzoeker, of professor. En wat word ik? Ik weet het niet. Waarschijnlijk interieurverzorgster of Assepoester.
'Sam?' vraagt Beer. Ze is al aan haar tweede bord bezig.

'Hmm?' zeg ik met volle mond.

'Sorry. Ik zal het niet meer doen.'

'Het is al goed,' zeg ik. 'Pip, het eten is verrukkelijk.'

'En de kaarsjes zijn heel gezellig,' zegt Pip, terwijl hij voorzichtig zijn mond aan zijn mouw afveegt. 'Dankjewel, Sam.'

'Waarvoor?'

'Gewoon, voor alles. Dat je altijd zo lief bent en zo goed voor ons
zorgt.'

'Huh,' zeg ik.

Hoofdstuk
**9**

Prik Prik

Sampiezussie,
nogmaals 1000x
sorry. Ik wist echt
niet dat het bloesje
nieuw was.
Kzal het niet meer
doen. Als je een
nieuwe gaat kopen,
koop je er dan ook 1
voor mij.p.s.
(maat XXXXXL)

Ik lig in bed en staar naar mijn klok, die rood oplicht in het donker. Het is 23:23.
Keurige tijd om in bed te liggen. Meestal is het later. Ik kan alweer niet slapen, hoe goed ik ook mijn best doe.
Het is een warme nacht. Buiten kwaakt zo nu en dan een kikker. Pip heeft ontdekt dat het hele zwembad er vol mee zit. Hoe ze het uithouden in die drab is me een raadsel. Hij heeft besloten dat hij ze gaat redden, voordat ze doodgaan aan de giftige dampen.

Het licht van de maan schijnt op Annabel. Ze heeft een lieve glimlach.

Vroeger praatte ik altijd tegen haar. Dan deed ik net alsof ze mijn moeder was en vertelde ik haar wat ik die dag meegemaakt had. Nu doe ik dat niet meer. Daar ben ik te groot voor. Maar ik verlang soms best naar een moeder om raad aan te vragen. Over Pip, bijvoorbeeld. En over papa. En over ongesteld worden en wanneer dat gebeurt, en hoe, en of je dan maandverband of tampons moet kopen. Er zijn zo veel soorten! Ik probeer alles wat ik moet weten uit tijdschriften te halen, maar het gekke is dat de simpelste dingen er vaak niet in staan.

Het zou fijn zijn om een moeder te hebben die me instopt en me knuffelt voordat ik ga slapen.

Ik hoor op de gang een deur piepen, gevolgd door krakende traptreden. Dat is papa, ik hoor het aan zijn voetstappen. Hij heeft vast honger.

Om 23:43 piept er weer een deur. Dat is Beer, die heeft ook zin in wat lekkers.

Dit is helemaal niet ongewoon, hoor. Er is 's nachts een hoop activiteit in ons huis. Wel vervelend als je je nachtrust nodig hebt.

Ik draai me nog een keer om, maar ik kan echt niet in slaap komen. Het alarm van mijn wekker staat op vijf uur. Ik probeer het nog twee minuten en spring dan mijn bed uit.

Papa en Beer zitten aan de keukentafel, gezellig bij het licht van de waxinelichtjes. Papa eet lasagne en Beer chips. Ik ga erbij zitten.

'Jullie moeten geen cola drinken, midden in de nacht,' zeg ik. 'Daar kun je niet van slapen.'

Papa glimlacht verstrooid en schenkt nog een glas in. Hij wrijft over zijn voorhoofd. Er zitten donkere kringen onder zijn ogen en hij heeft een stoppelbaard.

'Chipje?' Beer houdt me de zak voor.

'Nee, dank je,' zeg ik. Van 's nachts eten word je dik. Dat heb ik gelezen in een tijdschrift. Maar ik zeg het niet hardop, om Beer niet te kwetsen.

'Zullen we een potje scrabbelen?' vraagt mijn vader.

'Pap, we moeten morgen naar school, hoor,' zeg ik. Soms schrik ik van mijn eigen strenge stem. Dan klink ik alsof ik niet een meisje van veertien ben, maar een ouwe zeurderige tang. 'Nou, oké dan, één potje,' zeg ik er snel achteraan, want ik vind het ook wel heel gezellig.

Als ik Diane, die naast mij in de klas zit, vijf euro geef, mag ik vast weer spieken. Zo regel ik het wel vaker. Ze heeft laatst ook een boekverslag voor me gemaakt. Dat was wat duurder. Twintig euro, maar ik had een acht plus.

Even later liggen we met zijn vieren gezellig te scrabbelen, voor de open haard op papa's werkkamer. Pip is ook wakker geworden, omdat Beer en ik tegen elkaar gilden. Beer speelde vals, zoals gewoonlijk. Ze wil altijd winnen.

'Heb je vandaag nog wat geschreven, pap?' vraagt Pip.

Ik geef hem een schop tegen zijn enkel en kijk hem boos aan. Nu is de gezelligheid om zeep. En ja, hoor, mijn vader staat op, strijkt door zijn ook al veel te lange haar en loopt naar zijn bureau. 'Ik moet eens aan de slag, jongens. En jullie moeten naar bed.'

'Ik heb gewonnen,' zegt Beer triomfantelijk en ze kiepert de stenen gauw in het zakje.

'Niet waar, ik stond voor,' roept Pip beledigd.

'Geen ruziemaken,' zeg ik. 'Pap, het is half drie. Moet je niet slapen?'

Hij trekt me naar zich toe. Jakkie, hij ruikt niet echt fris.

'Sammie, wees toch niet altijd zo bezorgd. Ik ben volwassen en ik kan heel goed voor mezelf zorgen.'

Ja ja, denk ik. Waarom stink je dan zo? En waarom moeten wij alles alleen doen? Maar ik zeg het niet. Ik hou van mijn vader en ik wil hem niet van streek maken.

Beer en Pip geven hem een zoen. Papa reageert niet. Hij is met zijn gedachten al mijlenver weg.

Ik ben nog als enige over.

Ik ga achter hem staan en sla mijn armen om zijn hals.

'Hé pap, hoe denk je eigenlijk dat het komt dat het zo vastzit in je hoofd?'

'Ik weet het niet, Sammie. Het stroomt gewoon niet. Het voelt alsof er een enorme dam in mijn hoofd zit die alles tegenhoudt.'

'Je moet er gewoon een gaatje in prikken,' zeg ik en ik por hem in zijn zij. 'Prik, prik!'

Mijn vader glimlacht niet eens.

Eigenlijk wil ik vragen: heeft het misschien met onze moeder te maken, voel je je eenzaam, zijn wij te lastig voor je, of ben je boos op ons, omdat je drie kinderen hebt, maar geen vrouw meer?

Maar ik zeg alleen maar: 'Je moet er eens uit, pap. Dat helpt vast.'

'Je bent een lieverdje, Sam,' bromt mijn vader, met zijn ogen alweer vastgeplakt aan het lege beeldscherm.

Hoofdstuk 10
Ontploffing!

'Zit stil, Pip, ik kan niet recht knippen als je zo zit te wiebelen.'
'Je knipt scheef!' Pip tuurt met een ontevreden gezicht in de
spiegel die hij met uitgestrekte armen voor zich houdt.
Zijn lip is wat minder gezwollen, maar zijn oog is nog flink
paars.
'Au!' Pip grijpt naar zijn oor. De spiegel valt op de grond in
scherven. Stik, ongeluk. Ook dat nog.
'Stommerd! Moet je nou kijken, het bloedt! Idioot, je hebt mijn
oor eraf geknipt!'
'Nietes, het is maar een heel klein knipje en ik kon er niks aan
doen. Jij zat niet stil!'
Pip klemt zijn hand om zijn oor en springt door de keuken. 'Au,
au, au, ik bloed dood!'
'Stel je niet zo aan, Piepje, er is niks aan de hand. Vincent van
Gogh had ook een stuk van zijn oor eraf.'
'Noem me geen Piepje,' schreeuwt Pip met overslaande stem. 'Jij
bent een sadist!'
Ik schiet in de lach. Hij ziet er heel raar uit. Aan de linkerkant
hangen zijn krullen tot op zijn schouder, aan de rechterkant
zijn ze kort.
'Lach me niet uit, stomme griet!'

50

Zijn onderlip trilt. Woedend wrijft hij in zijn ogen, waardoor er haren in komen en ze nog harder gaan tranen. Er loopt een dun straaltje bloed in zijn nek.

Pip vindt het zelf vreselijk dat hij zo snel moet huilen. Ik had hem geen Piepje moeten noemen. Het floepte er alweer uit voor ik er erg in had. Ik ben ook niet perfect. Beer en ik noemden Pip vroeger wel eens Piepje, om hem te plagen, omdat hij zo snel moest huilen.

Ik maak de punt van de theedoek nat en steek hem uit naar mijn broer. 'Hier, veeg het maar af, dan knip ik verder, je ziet er niet uit zo.'

Pip slaat mijn arm weg. 'Jij knipt helemaal niet verder. Je blijft met je poten van me af!'

'Ga dan gewoon naar de kapper!' schreeuw ik, ook met tranen in mijn ogen. Zit ik me daar uit te sloven, en dan is het nog niet goed.

'Nee! Inderdaad niet!' gilt Pip. 'Ik doe het zelf wel!'

Hij rent weg. In de deuropening knalt hij tegen Beer op. Haar gezicht staat ook op onweer.

'Moet je nu eens kijken!' roept ze naar me. 'Dit was de enige die nog goed paste!' Ze houdt een lichtblauwe linnen broek omhoog. 'Hij is hartstikke gekrompen! Ik krijg hem niet meer dicht! En de lakens op mijn bed stinken, terwijl ik ze net schoon uit de kast heb gehaald.' Ze kijkt om zich heen. 'Wat een puinhoop is het hier!'

Nu word ik zo woest dat ik de schaar door de keuken smijt. Hij scheert rakelings langs Beers hoofd. Ik schrik van mezelf.

'En nou heb ik er compleet genoeg van!' schreeuw ik. 'Wie denken jullie dat ik ben? Jullie sloofje? Een slavin? Doe je was voortaan zelf! Ik doe het niet meer! Ik doe niks meer. Ik doe toch nooit iets goed! Jullie zoeken het maar uit! Val dood voor mijn part!'

51

Ik storm de keuken uit, struikel over de rotzooi die op de trap ligt, verzwik mijn enkel, vloek, ren mijn kamer binnen en sla de deur met zo'n klap dicht dat het hele huis ervan trilt.

Ik geef een enorme trap tegen Annabel, die tegen de spiegel aan vliegt. Haar arm breekt af en de pruik vliegt door de kamer. 'En jij, stom mens, waarom heb je ons in de steek gelaten? Waarom moet ik alles alleen doen? Ik haat je!'

Ik plof op mijn bed neer en barst in huilen uit.

Als ik wakker word, is het 02:41. Vanuit het zwembad klinkt een kikkerkoor. Mijn ogen voelen branderig en gezwollen en ik heb barstende koppijn.

Annabel ligt in een bundel maanlicht op de grond. Kaal en zielig geknakt, alsof ze een ongeluk heeft gehad.

Ik loop naar het balkon. Het is heel zacht buiten. Ik ruik de witte rozen, die nu bloeien. Ze lichten op in het maanlicht. Onze tuin is prachtig, ook al is hij helemaal verwilderd. Ik zou nergens anders willen wonen. Dit is ons thuis.

De lucht is inktblauw met witte wolken. Er schuift er een voor de maan. Ik moet heel nodig plassen en ga weer naar binnen. Voor mijn deur op de gang staat een bord met drie boterhammen, een stuk ontbijtkoek, een reep chocola en een glas melk. Ik val er bijna over. Op het glas zit een geel briefje.

Lieve Jamie

Het speit me heel erg. Ik hat een rodag op school. plies niet meer boos zein? Pip xxx

Oef, wat maakt Pip veel fouten.
Uit de boterham steekt ook een briefje. Lekker handig: als ik dat
niet gezien had, had ik het opgegeten.

Lieve Sam
Het spijt mij ook
Jij mag die broek
wel hebben.
Je bent een topaus
hoor!
eet smakkelijk!

Ik stap over het bord heen. Het is wel gemakkelijk om sorry te
zeggen, maar het lost niks op.
Het maanlicht valt door het badkamerraam naar binnen. De
lamp is al weken kapot en ik vergeet steeds een nieuwe te
kopen. Ik zal er een paar waxinelichtjes neerzetten. Ik schrik me
rot als ik opeens vlak achter me gekwaak hoor. Het bad zit vol
kikkers. Ze proberen langs de wand omhoog te kruipen, maar
vallen steeds terug. Gelukkig kunnen ze er niet uit.
Ik zucht en ga op de wc zitten. Na twee seconden plassen spring
ik gillend omhoog. Ieeeek, er zit iets aan mijn billen! Ik buk me
griezelend over de wc heen. Getverdegetver! Er zit een dikke
vette kikker in. Bah, mijn onderbroek is nat en de vloer ook. En
ik heb de kikker nat geplast. Hij kijkt me met uitpuilende ogen
aan en kwaakt.

Op de gang klinkt gestommel. Beer loopt met een slaperig gezicht de badkamer binnen.

'Wat is er, Sam? Waarom maak je zo'n herrie?'

Ik wijs naar de wc.

Beer spert haar ogen wijd open en gilt: 'Getverdemme, wat een joekel!'

'Hij zat aan mijn billen!'

'Jasses, wat een viezerik! Hoe durft-ie!'

De kikker kwaakt weer en maakt een sprong. Beer springt achteruit om hem te ontwijken. Ze glijdt uit over de badmat en grijpt zich vast aan de wastafel. Die kraakt en bezwijkt onder haar gewicht.

'Haal hem weg! Haal dat vieze beest weg!'

'Doe het zelf!' gil ik terug. 'Ik raak hem niet aan. Ik ga Pip halen!' Ik ren de trap op en ruk zijn deur open.

'Pip, wakker worden, er is een beest ontsnapt!'

Pip schiet geschrokken overeind. Hij heeft nog steeds lang en kort haar tegelijk.

'Wat?'

'Er is een kikker ontsnapt, je moet onmiddellijk komen,' zeg ik.

'Hij beet in mijn billen, de viezerik.'

Even later zitten we met zijn drieën bij kaarslicht in de keuken ijs te eten. Pip heeft de pleekikker gevangen en naar buiten gebracht. Nu maar hopen dat de rest netjes in bad blijft zitten. We hebben geprobeerd de wastafel weer op te krikken, maar dat is mislukt.

De vloer is redelijk netjes opgeruimd, maar ik zie in het maanlicht toch nog scherven glinsteren en er ligt nog haar van Pip. Het aanrecht staat vol afwas. Ik ben er nu te moe voor.

'We moeten een familieberaad houden,' zeg ik ernstig. 'Het gaat zo niet langer.'

'Wat gaat niet langer?' vraagt Beer met volle mond. Ze lepelt het ijs met een soeplepel uit het bakje.

'Alles niet. Ik weet niet of jullie het in de gaten hebben, maar ik doe het hele huishouden. En jullie hebben altijd maar commentaar. Ik doe het niet meer en ik kan het niet meer. Ik heb niet eens tijd voor mijn huiswerk.' Er wellen alweer tranen in mijn ogen op. Stik, ik lijk zelf wel een Piepje. Ik verberg mijn gezicht in mijn handen.

Pip klopt op mijn rug. 'Huil je?' vraagt hij met een dun stemmetje.

'Nee, ik heb de slappe lach, dat zie je toch!' zeg ik fel. 'Ik ben gewoon hartstikke moe van alles. Ik heb er echt genoeg van!'

Pip haalt zijn hand weg. 'Sorry, hoor,' zegt hij. 'Ik heb er nooit zo bij nagedacht... Ik kook toch best vaak?'

'Ja, dat wel, maar wat denk je van de afwas, de was, de boodschappen... wie stofzuigt er, wie ruimt er de rotzooi op? Nou? Wie?'

Pip tuurt naar het tafelblad en wrijft in zijn ogen. O jee, nou gaat hij ook nog huilen en dan moet ik hém weer kalmeren. Ik snuit mijn neus in de vieze theedoek die op de tafel ligt en kijk kwaad naar mijn zus. 'En waarom doe jij nooit eens iets, Beer? Omdat je het altijd druk hebt, hè? Omdat je moet leren. Omdat je alleen maar tienen wilt halen. Maar denk je ook wel eens aan mij? Ik ga waarschijnlijk niet eens over. Als ik zo doorga met mijn punten haal ik het vmbo niet eens.'

'Ssst, niet zo hard schreeuwen, papa slaapt,' zegt Pip.

'Hij is net toch ook niet wakker geworden?' zeg ik kwaad. 'Wij moeten alles maar alleen uitzoeken. Ik kan het niet meer aan. Er móét iets veranderen, het kan zo niet meer. Kijk eens in wat voor een puinhoop we leven! We nemen nooit iemand mee naar huis en waarom niet? Omdat we ons schamen voor de troep.'

'Ja, maar ook omdat iedereen ons alleen maar aardig vindt

omdat we rijk zijn en een beroemde vader hebben,' zegt Beer bitter.

'Pip wordt gepest op school,' ga ik verder, 'en niemand die er iets aan doet.'

'We gaan morgen gewoon met hem mee en meppen die pestkoppen in elkaar!'

'Nee Beer, dat doen jullie niet,' zegt Pip snel. 'Ze schelden me nu al uit voor watje en mietje. En als mijn zussen me dan komen helpen, sta ik helemaal voor gek.'

'Jullie moeten meer doen in het huishouden,' zeg ik. 'Papa moet ook meehelpen. En hij moet van die werkkamer af. Die schrijfverstopping wordt alleen maar erger. Hij moet de deur uit, iets meemaken, dan komt die vastgeroeste boel misschien los.'

'Ja, hij moet ons helpen,' mompelt Pip.

Beer staat op en loopt naar de koelkast. 'Jullie ook nog ijs?' vraagt ze.

Pip en ik knikken somber.

Zo zitten we een tijdje in stilte te lepelen. Boven gaat een deur open. We kijken elkaar aan.

'Nou, wie gaat het hem zeggen?' vraag ik. Beer en Pip kijken verwachtingsvol naar mij. Ik zucht.

Papa stommelt de keuken binnen. Hij heeft zo te zien met zijn kleren aan in bed gelegen.

'Zo kinderen, wat gezellig dat jullie nog op zijn.'

Ik kijk naar de keukenklok. Het is half vier. Welke vader zegt er nou zoiets?

'Pap, we moeten met je praten.'

'Wat zeg je, Sammie?'

'Oordoppen uit!' roep ik.

Hij plukt ze uit zijn oren en stopt ze in zijn zak.

'We willen met je praten,' zegt Beer.

'Dat komt goed uit,' zegt mijn vader. 'Ik moet ook eens even ernstig met jullie praten.'

We kijken hem alle drie verbaasd aan. Hij haalt een verkreukelde rode envelop uit zijn broekzak. 'Ik had er vandaag alweer een bij de post. Een gedicht. Is dit soms een grap van een van jullie?' Hij kijkt ons met gefronste wenkbrauwen aan.

'Nee,' zeggen Beer en Pip tegelijk.

'Sam?'

'Nee,' zeg ik. 'Natuurlijk niet. Mag ik hem lezen?'

Hij knikt. Ik haal de brief uit de envelop. Het is weer een gedicht, op geel papier.

Ik lees het hardop voor.


*Tot op heden*

*Ik klamp me vast aan mijn woorden*
*maar ze buigen om*
*Razendsnel komt de bodem dichterbij*
*Inslag*
*Einde*
*Krater*
*Grot*
*God, het suist in mijn oren*
*Waar is de noodrem, de lichtknop*
*het valscherm, de verdoving*
*Mijn houvast*
*zijn enkel woorden*

*Maar helaas*
*tot op heden*
*geen bericht*

Iedereen is stil.

Mijn vader schraapt zijn keel. 'Ik had het idee dat een van jullie me door deze gedichten iets probeerde te zeggen.'

'Nee, hoor,' zeg ik. 'Zo goed kunnen wij helemaal niet dichten.'

'Ik krijg er kippenvel van,' zegt Pip. 'Het lijkt alsof het over jou gaat, pap. Uh... over ons.'

Mijn vader wrijft in zijn ogen. 'Ik snap er niks van.'

Hij heeft Pips vreemde kapsel niet eens opgemerkt. En zijn blauwe oog en afgebroken tand ook niet.

'Pap, wij hebben dat gedicht echt niet geschreven, maar... maar we willen wel met je praten,' zeg ik. Mijn stem klinkt schor. Ik schraap mijn keel en ga rechtop zitten. Ik ga het nu echt zeggen, ook al heb ik buikpijn van de zenuwen.

'Papa... het gaat zo niet langer... Hier in huis... met ons...'

Hij kijkt ons verbaasd aan. 'Wat gaat niet langer, Sam? Het gaat toch goed met jullie? We hebben het toch fijn samen? Gaat het niet goed op school? Is er te weinig geld?'

'Kijk eens om je heen, pap.'

Mijn vader kijkt de keuken rond. Zijn blik blijft op Pip rusten. 'Wat is er met je gezicht gebeurd, jongen? Ben je gevallen?'

Pip krijgt een rood hoofd en knikt.

'Dat is niet waar, pap, hij wordt gepest op school,' zeg ik fel. 'Ze hebben hem geslagen. Verder is het een enorme troep hier in huis. Ik doe bijna alles in mijn eentje. De was, de boodschappen, de vuilnisbakken, stofzuigen, alles. En Beer heeft ook problemen.'

'Wat, ík? Problemen?' onderbreekt Beer me met schrille stem. 'Hoezo? Ik niet, hoor.'

Ik ga er niet op in. 'En... en ik... ik kan het gewoon niet meer. Ik ben de hele tijd hartstikke moe. Ik moet aan alles denken en jij zit maar op je kamer en... en... je doet helemaal niks! Je laat ons gewoon stikken!'

Oeps, dat laatste was ik niet van plan te zeggen.

Ik kijk hulpzoekend naar Beer en Pip, die allebei met een rood hoofd aan hun nagels zitten te pulken.

Mijn vaders ogen worden vochtig.

Ik kan mezelf wel voor mijn kop slaan. Nog drie jaar writer's block erbij. Stik, stik, stik, allemaal mijn schuld. 'Sorry papa, dat had ik niet moeten zeggen... ik... we...' stotter ik.

Hij legt zijn hand op mijn arm. 'Stil maar, Sam. Je hebt gelijk. Het is inderdaad niet verantwoord dat drie kinderen zonder moeder... en... en ik...' Hij stopt met praten en wrijft met een hulpeloos gezicht over zijn rasperige kin.

Pip snottert in de theedoek en Beer verbergt haar gezicht zo'n beetje in de bak ijs.

Mijn vader veegt over zijn ogen en haalt diep adem. 'We hebben hulp nodig. We moeten weer een au pair in huis nemen. En een werkster en een tuinman.'

'Nee!' roepen we alledrie tegelijk. 'Dat niet!'

'Maar wat moeten we dan?'

'Misschien kun jij gewoon een beetje meer doen,' zeg ik voorzichtig. 'De afwasmachine repareren bijvoorbeeld, en stofzuigen, boodschappen doen. Wie weet is dat wel goed voor je. Dan gebeurt er eens iets, en dan kom je ook het huis eens uit.'

'Daar zit wat in... Misschien heb je wel gelijk, Sam. Ik zit maar op mijn kamer en er komt niks uit mijn handen. Ik ben jullie vader, ik moet voor jullie zorgen.'

Hij kijkt naar de rode envelop en het gedicht op tafel. Dan haalt hij diep adem en glimlacht. 'Doe mij ook maar wat ijs. Vanaf vandaag gaat alles veranderen. Ik beloof het!'

Ik plak het briefje op zijn beeldscherm. Papa staat onder de douche. Hij heeft de gedichten met punaises aan de muur geprikt. Het zijn er nu al vier. Elke dag komt er een bij. Het is een raadsel waar ze vandaan komen. Het lijkt net alsof ze met ons te maken hebben, maar ik snap niet hoe dat kan. De enige van ons die dichterlijk is aangelegd, is Pip. Maar die kan niet foutloos schrijven. Ik staar naar buiten. Wat moeten we nou met hem doen? Hij is twee dagen thuisgebleven. Zogenaamd ziek.

Hij heeft een heleboel dingen erbij geschilderd in het bos. Raad maar in welk deel. Nu is hij weer naar school.

Kinderen platslaan is geen oplossing. Van school veranderen heeft ook geen zin. Pip is al een keer van school gewisseld. Zijn laatste rapport was heel slecht. Papa zou met zijn leraar moeten gaan praten. En Pip moet meer van zich afbijten. Ik weet wat zijn bijnaam is: Miepje. Miepje Piepje.

Misschien moet hij op karate of zo. Maar dat wil hij vast niet. Ik weet dat hij graag op ballet zou gaan, maar dat durft hij niet te zeggen. *Het Zwanenmeer* van Tsjaikovski draait hij helemaal grijs. Ik heb hem eens op zijn kamer zien dansen, toen hij dacht dat hij alleen was. Het was heel mooi en sierlijk. Hij had zijn ogen dicht en hij ging helemaal op in de muziek. Hij zag er heel gelukkig uit.

Er is een plek op zijn muur, in het Blije Bos, waar twee meisjes en een jongen dansen in het maanlicht. Ze lijken op ons. Dat vind ik het mooiste deel van de hele schildering. Als ik ernaar kijk, word ik blij.

Ik voel me al een stuk beter, ook al zijn de problemen nog niet echt opgelost. We hebben er in ieder geval over gepraat en iedereen doet zijn best. Ik hoef niet meer alles alleen te doen. Toen ik vanmorgen beneden kwam, hadden Pip en Beer de afwas al gedaan. Een wereldwonder. En Beer heeft gisteren Pips haar verder geknipt. Het zit heel leuk, en hij ziet er nu een stuk jongensachtiger uit.

Vanmiddag ben ik na het zesde uur uit. Ik ga op de fiets de stad in. Mezelf lekker verwennen. Samen met mijn PP. Niet omdat ik een slecht, maar juist omdat ik een góéd humeur heb.

Alles wordt anders.

Als ik 's middags de bocht van onze straat om zwier, fluitend en zwaarbeladen met tassen, staat mijn hart opeens stil van schrik. Ik val bijna van mijn fiets af.

Er staat een ziekenauto voor onze poort. En een vuilnisauto, een politiewagen, en een heleboel mensen. Ik krijg een vreselijk voorgevoel. O, nee! Pip! Alsjeblieft, laat het Pip niet zijn.

Slippend rem ik, ik gooi mijn fiets en mijn tassen op de grond en ren ernaartoe. Ik wring me tussen de mensen door.

Mannen met witte jassen schuiven een brancard de ziekenauto in.

'Neeeee, wacht!' gil ik. Ik duw twee vuilnismannen opzij.

Maar het is Pip niet. Het is mijn vader die op de brancard ligt.

Er zit bloed in zijn haar en op zijn voorhoofd en zijn ogen zijn dicht. Hij ziet spierwit.

'Papa! Papa!' Ik probeer bij hem te komen, maar hij ligt al in de ambulance.

Een van de vuilnismannen houdt me tegen. Hij slaat zijn arm om me heen. 'Rustig maar, meisje. Je vader is niet dood. Het is goed afgelopen.'

Het is geen mannenstem, maar een vrouwenstem.

Ik ruk me los. 'Papa!' gil ik weer. De deur van de ambulance gaat voor mijn neus dicht. Een agent komt naar me toe en pakt me bij mijn schouder. 'Is dat je vader, meisje?' vraagt hij.

'Ja, ja! Dat is mijn vader! Wat is er gebeurd? Ik wil mee! Stop!'

'Dat lijkt me beter van niet,' zegt de politieagent.

Mijn benen worden opeens slap en misselijkheid golft door mijn buik.

'Jawel! Ik móét mee! Wat heeft hij?'

De ambulance rijdt met gillende sirene en zwaailicht weg. Versuft kijk ik hem na.

'Meisje, woon je daar?' De politieagent wijst naar ons huis.

Ik knik. Ik heb het gevoel dat ik flauw ga vallen. Dit kan niet gebeuren. Dit is niet echt.

De vuilnisvrouw pakt me bij mijn elleboog en buigt zich over me heen. 'Ben je duizelig? Buk maar even, doe je hoofd tussen je knieën. Gaat het?'

Ik doe wat ze zegt. De duizeligheid trekt weg. Ik hoor de mensen om me heen fluisteren en zie ze naar me kijken. 'Arm kind,' hoor ik zeggen. 'Geen moeder, beroemde vader, helemaal alleen nu... Het zag er slecht uit... heb je zijn been zien? En die hoofdwond? Hopelijk haalt hij het... nu hebben ze niemand meer.'

Ik bijt keihard op mijn lippen en haal diep adem. Ik moet blijven nadenken. De politie mag dit niet horen. Ik moet snel iets doen, voordat ze vragen gaan stellen en erachter komen dat we nu alleen thuis zijn... voor hoe lang? Wat als papa nou... De paniek schiet als een orkaan door mijn hoofd en buik heen. Ik moet iets doen... ik knijp mijn ogen dicht, zak door mijn knieën en laat me op de grond vallen.

'O, ze valt flauw,' hoor ik iemand roepen. 'Pas op!'

Ik voel dat ik opgetild word.

'Opzij, opzij,' roept een mannenstem. Ik hou mijn ogen stijf dicht. Nee! Stommerd, stijf is niet goed. Ontspan je ogen, Sam, maak je slap.

Ik hoor de poort piepen. De mensen achter me praten druk door elkaar heen.

Ik voel dat er een traan langs mijn slaap mijn haar in loopt.

# Hoofdstuk 13 ← ongeluks getal!
# Alles om zeep

'Belt u even aan?' zegt de agent. 'Ik heb mijn handen vol.'

Brrr... hij stinkt naar knoflook. Even volhouden, Sam. Hij mag niet met de mensen uit de buurt praten.

'De bel doet het niet.' Het is de stem van de vuilnisvrouw van daarnet. Ze is zeker meegelopen. Wat doet ze hier eigenlijk? En waarom stond die vuilnisauto daar?

Ik hoor dat ze op deur klopt, en nog een keer, harder.

'Volgens mij is er niemand thuis,' zegt ze.

'Dan moeten we haar meenemen naar het bureau,' zegt de agent.

Het bureau! An-me-nooit-niet! Ik moet er zijn voor Beer en Pip. Ik doe mijn ogen open en probeer me los te worstelen. Ik val bijna op de grond.

'Ho ho, kalm aan, kind.' De agent zet me neer op het stoepje voor de voordeur.

Het is een klein, Italiaans uitziend mannetje met een grote snor. Nog een wonder dat hij me zo lang kon houden.

Ik wrijf in mijn ogen. Wat zegt iemand die net flauwgevallen is? 'Wat is er gebeurd? Wat heeft mijn vader? Is het erg?' Mijn stem klinkt raar.

'Laten we even naar binnen gaan,' zegt de politieagent. 'Dan zal ik het je rustig vertellen. Is je moeder thuis, meisje?'

'Nee, helemaal niet rustig, vertel het me, nu!' roep ik stampvoetend. 'Ik moet het weten!'

'Nee nee, kalm nou maar. We gaan eerst naar binnen.'

'Zal ik meegaan?' vraagt de vuilnisvrouw.

'Nee, mijn collega moet u een verklaring afnemen.'

Stik, er is dus nog een agent.

'Oké, ik ga wel naar hem toe.' Ze kijkt me bezorgd en vriendelijk aan. Ze heeft blond haar in een paardenstaart en grote blauwe ogen. 'Het spijt me ontzettend, meisje, we konden er echt niks aan doen.'

'Waar niks aan doen?' vraag ik.

Ik zie dat de agent over mijn hoofd heen een gebaar maakt. De vuilnisvrouw glimlacht. 'Hij zal het je wel vertellen. Dag, ik kom straks nog even kijken! Hou je taai, meid.'

Tjeetje, ze behandelen me echt alsof ik een kleuter ben. Ze moesten eens weten dat ik een heel huishouden in mijn eentje draaiende hou.

De vuilnisvrouw loopt het tuinpad af, waar de andere agent met onze buurvrouw staat te praten. Een paar andere mensen wijzen naar iets op straat. Twee omgevallen vuilnisbakken. Overal ligt rommel.

'Heb jij de sleutel van het huis, kind?'

'De achterdeur is gewoon open.'

'Goed. Dan gaan we door de achterdeur. Kun je zelf lopen?'

'Natuurlijk,' zeg ik. We lopen om het huis heen. Het pad is zo dichtbegroeid dat je hier en daar moet bukken. De agent krijgt een uitloper van een rozenstruik in zijn gezicht.

Wat moet ik dadelijk nou zeggen? De mensen uit de buurt weten allemaal dat we geen moeder hebben. Ze vertellen het vast, en als die agent binnenkomt en de rommel in huis ziet... Ik móét iets bedenken, en snel.

Ik probeer het water te drinken dat de politieagent me gegeven heeft, maar het lukt niet, mijn tanden klapperen tegen het glas. De politieman kijkt met opgetrokken wenkbrauwen de keuken rond.

'Wanneer zei je dat je moeder thuiskwam?'

Ik begin te huilen. Gedeeltelijk als afleidingsmanoeuvre, gedeeltelijk echt.

'Wat is er nou gebeurd?' roep ik. 'Wat hééft mijn vader? Is hij dood?'

De agent verplaatst een stapel boeken en tijdschriften van een stoel naar de tafel, die nog vol staat met de ontbijtspullen van vanmorgen, en gaat naast me zitten. Onhandig klopt hij me op mijn rug. 'Nee, hij is niet dood. Toen we hem in de ambulance schoven, was hij nog springlevend... Uuuh, ik bedoel... wel bewusteloos natuurlijk...'

Ik kijk hem niet-begrijpend aan.

'Hij is aangereden door de vuilnisauto, en hij was buiten bewustzijn.'

'Aangereden door een vuilnisauto?! Hoe kan dat nou?'

'De vuilnisauto rijdt altijd achteruit jullie straat in, vertelde die charmante vuilnisdame, omdat het een doodlopende weg is en ze niet kunnen keren. Je vader was waarschijnlijk net de vuilnis-bakken aan het buitenzetten.'

Er trekt weer een golf van misselijkheid door mijn maag. De vuilnisbakken! Ik heb hem vanmorgen gevraagd of hij die buiten wilde zetten!

Het is dus mijn schuld! Mijn schuld! Als ik dat niet gedaan had, als ik het gewoon zelf gedaan had, zoals altijd... was het niet gebeurd! O, stik! Het is mijn schuld!

De agent praat verder, zonder dat ik luister: '...en de vuilnis-wagen maakt veel herrie. We snappen niet dat hij hem niet heeft horen aankomen. Hij stond blijkbaar net in de dode hoek van de

achteruitkijkspiegel, want de vuilnismannen, uh... vuilnis-
meneer en -mevrouw hebben hem niet gezien. Ik heb trouwens
nog nooit een vuilnisdame gezien. En dan ook nog zo'n knap-
pe.' Hij geeft me een knipoog.

Ik kan me maar net inhouden om de agent geen trap tegen zijn
been te verkopen.

'Hé, het gaat om mijn vader, hoor!' zeg ik kwaad en ik haal mijn
neus op. 'Hij had natuurlijk zijn oordoppen in...'

O! Ik kan mezelf wel voor mijn kop slaan! Waarom? Waarom
moest ik er nou over beginnen dat hij moest meehelpen in het
huishouden? Waarom moest alles nou per se veranderen? Nu is
het veranderd! Maar hoe! Alles om zeep! Misschien komt hij wel
in een rolstoel, of moet zijn been eraf. Mijn schuld! En als hij
doodgaat... Ik kan de tranen niet tegenhouden en verberg mijn
gezicht in mijn handen.

De agent kucht. 'Wat zei je, meisje?'

'Oordoppen,' snik ik. 'Hij heeft vaak oordoppen in en dan hoort
hij niks.'

'Oordoppen, overdag? Waarom?'

'Omdat... omdat hij niet gestoord wil worden. Als hij... als hij
aan het werk is. Dan... dan is hij vaak ook heel diep in
gedachten... dan... dan let hij niet op.'

De agent trekt zijn wenkbrauwen op. 'Oordoppen. Tja... maar
dan nog. Vreemd. Je vader is een beroemd schrijver, hè? Dat
hoorde ik van de buren...'

Ik zie 'de blik' in zijn ogen komen.

'Maar wat heeft hij nou? Hij was bewusteloos en ik zag bloed!'

'Voorzover de ambulancedokter kon zien, heeft hij een gebroken been en waarschijnlijk een flinke hersenschudding. In het
ziekenhuis wordt hij verder onderzocht. Maak je maar niet te
veel zorgen, meisje, het komt echt wel weer goed, hoor.'

Ik haal mijn neus op en wrijf in mijn ogen. De agent haalt een boekje tevoorschijn en begint daarin te schrijven. 'Oor-dop-pen,' spelt hij hardop.

Oe-le-wap-per, denk ik.

Ik zie opeens het Post-it-briefje op de koelkast dat papa er eergisteren op geplakt heeft.

Dat mag de politieagent niet zien. Bewijsmateriaal. Ik geef een duw tegen mijn glas water en het valt om. Het water gutst over de schoot van de agent. Hij springt geschrokken op.

'O, o... sorry,' stamel ik met een extra bibberig stemmetje. 'Sorry, meneer de agent.' Ik loop naar het aanrecht toe om een thee-doek te pakken, trek onderweg het briefje eraf en stop het snel in mijn zak.

De theedoek is verschrikkelijk smerig, zie ik als ik hem aangeef. Rode en groene vlekken van de lasagne. De agent dept met een vies gezicht de natte plek. 'Nou, nu lijkt het net of ik in mijn broek geplast heb, hè?'

Ik probeer te grijnzen. Wat een sukkel. Ik moet iets bedenken en snel. Dadelijk begint hij weer over onze moeder.

Hij pakt zijn opschrijfboekje. 'Ik moet even een paar gegevens noteren. De naam van je vader weet ik. Zijn geboortedatum?'

'Uhm... 20 januari... uhm, hij is drie... uh, vierenveertig. Geloof ik.'

'Geloof je dat, of weet je dat zeker?' Hij kijkt me aan en geeft me een knipoog.

Ik haal mijn schouders op.

'Haha, dat zoek ik thuis wel op. Er staat geloof ik zelfs een boek van hem in onze boekenkast. Mijn vrouw leest, hoor. Ik niet.'

Nee, dat kan ik me ook niet voorstellen, denk ik.

'Helemaal gezond verder?'

'Wie? Ik?'

'Nee, je vader. Dat is belangrijk voor het ziekenhuis om te weten.'

Hij lijdt al een paar jaar aan een ernstige ziekte, writer's block, denk ik, maar dat zeg ik natuurlijk niet.

'Nee, hij is niet gezond. Hij is zwaargewond op weg naar het ziekenhuis,' zeg ik nors. Wat een domme vragen. Ik wou dat hij ophoepelde, dan pakte ik mijn fiets en was ik binnen tien minuten bij papa.

De agent bloost. 'Ik bedoel, was hij gezond, voordat... voor vanmiddag. Gebruikt hij medicijnen of zo?'

'Nee.'

Ik kijk door het keukenraam. Ik zie nu pas hoe vies het glas is. Pip heeft er gekke gezichten op getekend, met ketchup. Wanneer komen ze thuis? Verzin iets, Sam, verzin iets!

'En jouw naam is...?'

'Sam.'

'Sam?' De agent kijkt me verbaasd aan. 'Je bent toch een meisje? Of niet?'

Ik rol met mijn ogen. 'Ja, duh! Ik heet Samantha van Zwanenburgh.'

'Van Zwa-nen-burgh,' zegt de agent hardop. 'Met een h op het eind, hè?' voegt hij er trots aan toe. Dan kijkt hij weer onderzoekend de keuken rond, met opgetrokken neus. Ik ruik het ook, het stinkt hier. Ik zie hem denken: wat is dit voor een familie? Zo'n beroemde schrijver, stinkend rijk waarschijnlijk, haha, stinkend. Zeg dat wel. Zo'n groot huis, en dan zo'n rotzooi? Wat zou hier aan de hand zijn?

'En wanneer komt je moeder thuis, Samantha?'

'Uuhm...' Het zweet breekt me uit. Wat moet ik doen? Liegen? De buren hebben vast al aan die andere agent verteld dat we geen moeder hebben. Wat doen ze met drie veertienjarige kinderen die alleen thuiszitten? Zou dat mogen van de wet? Vast niet! Het kindertehuis! Of... familie... maar we hebben alleen een stokoude oma, ver weg. De buren? Nee! Vrienden? Hebben we ook niet! Een golf van zelfmedelijden overspoelt me.

'Heeft ze een telefoon bij zich?'

'Wie? Uh... nee...' Ik krijg plots het idiote beeld van mijn moeder in haar kist, met een mobieltje tussen de botjes van haar vingers.

'Waar is ze dan heen? Kun je haar bereiken?'

Nee, niet bepaald.

Ik doe net alsof ik zijn vraag niet gehoord heb. 'Mag ik naar mijn vader toe?' vraag ik smekend. 'Ik moet naar hem toe!'

'We kunnen beter op je moeder wachten, kind, dan kunnen jullie samen gaan.'

Ik krijg een ingeving. Ik zet een droevig gezicht op.

'Ik... ik zal het maar eerlijk zeggen, meneer agent. We... we hebben geen moeder.'

De agent kijkt verbaasd op. 'Geen moeder?'

'Nee... ze... ze is dood.'

De agent verschiet van kleur. 'Ooo, nou snap ik het. O, sorry, ik bedoel... wat vreselijk voor jullie. Het spijt me...'

Ik zie dat zijn blik weer door de keuken gaat, nu naar de grond, waar in een hoek nog een pluk haar van Pip ligt. Het ziet er een beetje eng uit, net een dood zwart diertje.

'Maar... maar we hebben wel een au pair die voor ons zorgt. Ja... ze zorgt heel goed voor ons. Ze is pas nieuw en ze is heel aardig. Ze woont bij ons.' Ik praat te snel. Dit valt op. Ik haal diep adem. 'Ze... ze is nu boodschappen doen, denk ik. Ze heeft nog geen tijd gehad om op te ruimen.'

'O,' zegt de agent en hij begint weer te schrijven. 'Au pair,' zegt hij hardop. Ik zie dat hij het woord twee keer doorkrast voordat hij het goed heeft geschreven. 'En heeft zij een mobiel bij zich?' Op dat moment stormt Pip binnen.

# Hoofdstuk 14
## Fletsj!

Als Pip de agent ziet, deinst hij achteruit. Ik zie de gedachten door zijn hoofd schieten. Woedend en ongelovig kijkt hij me aan. 'Sam, hoe kun je!' roept hij uit. 'Heb je toch de politie erbij gehaald?'

'Nee Pip, het is niet wat je denkt,' zeg ik snel. 'Het is papa...'

'Wat is er met papa?' Zijn stem schiet omhoog.

'Hij is... Hij heeft een ongeluk gehad. Weet jij wanneer... uh... wanneer Annabel thuiskomt?' Ik noem de eerste naam die me te binnen schiet.

'Wat? Een ongeluk? Annabel? Waar héb je het over?' Pips stem schiet in paniek omhoog.

Stik, stommerd die ik ben. Ik ben altijd zo onhandig. Ik loop naar Pip toe en pak hem stevig vast. Hij kijkt me smekend aan. 'Sam, dit is een grap, hè? Het is niet waar, hè? Heeft papa echt een ongeluk gehad?'

Hij ziet in mijn ogen dat het wel waar is.

Alle kleur verdwijnt uit zijn gezicht. Behalve de blauwe plek, die wel zwart lijkt.

'Is hij... is hij...?' Dan barst hij in snikken uit.

'Nee,' zegt de agent en hij staat op. 'Je vader is niet dood, jongeman, en hij gaat ook niet dood. Voorlopig nog niet in ieder geval. Want dood gaan we allemaal, hahaha.'

Nog één keer en ik verkoop hem echt een trap.

'Ben jij de broer van deze jongedame?'

Ja, nogal wiedes, slimmerik.

Hij pakt Pips arm. 'Ga maar even zitten, jongen. Hoe heet je?'

'Hij heet Philip,' zeg ik snel.

Pip huilt nu met lange uithalen. 'Papa,' snikt hij. 'Papa...'

Hij lijkt wel een jongetje van vier jaar. Ik vind hem zo zielig dat ik mijn eigen paniek even vergeet. Ik hou hem vast en aai hem over zijn rug en hoofd.

De politieagent kijkt onhandig toe en draait zenuwachtig aan zijn snor.

'Stil maar Pip, het komt heus goed, dat zul je zien.'

'Wat heeft hij en waar is hij?'

'Het valt reuze mee, hoor. Hij heeft zijn been gebroken. Hij is met de ambulance naar het ziekenhuis en daar wordt hij onderzocht.'

Pips schouders schokken en hij piept iets onverstaanbaars.

'Meneer de agent, hebt u misschien een glaasje water voor mijn broer?'

De agent knikt en loopt gehoorzaam naar het aanrecht.

'Pip, Pip, luister!' fluister ik in zijn oor. 'Annabel is onze au pair. Dat moet jij ook zeggen anders halen ze de kinderbescherming erbij.'

Pip kan helemaal niet praten, zo hard moet hij huilen. Het snot druipt uit zijn neus. Ik geef hem de vieze theedoek.

De telefoon van de politieagent gaat. Hij neemt op en luistert.

'Goed, ja... ja, ik begrijp het,' zegt hij. Hij drukt de telefoon uit en stopt hem terug in zijn zak.

De zenuwen knallen door mijn lijf. Was dat het ziekenhuis? Of de kinderbescherming? Kan dat zo snel? Ik kijk hem angstig aan. Mijn hart bonkt in mijn keel.

'Was dat de dokter?'

74

'Nee, de centrale. Philip, weet jij misschien wanneer jullie au-pairdame thuiskomt?'

'Pip?' vraag ik. 'Hoe laat zei Annabel dat ze thuiskwam?' Ik knijp hard in zijn schouder.

'Pip?' vraagt de agent. 'Hij heet toch Philip?'

Dan wordt er op het keukenraam geklopt. Tussen de ketchup-gezichten door zie ik het gezicht van de vuilnisvrouw.

De agent loopt naar de voordeur toe, terwijl zijn telefoon weer gaat.

'Zes uur! Zeg dat Annabel om zes uur terugkomt!' sis ik tegen Pip.

'Ik snap er niks van!' snikt Pip. 'Gaat papa dood, Sam?'

'Nee, joh, helemaal niet, dat zeggen we toch. Hij heeft gewoon een gebroken been. Daar doen ze wat gips om en klaar is Kees!'

'Wat is er dan gebeurd?'

'Hij is tegen de vuilniswagen aan gelopen toen hij de vuilnis-bakken buitenzette. Pip, je moet het spel meespelen, hoor je me?'

'Wélk spel?'

'Annabél!'

'Maar Annabel is toch jouw póp...'

'Nee, onze au pair! Om zes uur komt ze thuis!'

'Hebben we een nieuwe?'

'Nee! We doen net alsof!'

Ik hoor de agent pratend tegen de vuilnisvrouw terugkomen. Ik schud Pip door elkaar. 'Pip, als je dat niet zegt, brengen ze ons naar het kindertehuis en dan zijn we de klos!'

De vuilnisvrouw staat naast ons. Ze heeft haar pet in haar handen en haar pak opengeritst.

'Hoe is het nu met je?' vraagt ze aan mij. 'Is dat je broer?' Ze steekt haar hand naar Pip uit. 'Hallo, ik ben Isabel.'

'Isa... Isabel?' zegt Pip verbaasd. Niet-begrijpend en met waterige ogen kijkt hij me aan. 'Je zei toch... Annabel?'

O jee, dit loopt helemaal mis.

'Ja, Isabel, Annabel, maakt niet uit,' zeg ik.

Pip kijkt me aan alsof ik een marsmannetje ben.

'Ik moet weg,' zegt de agent. 'Het bureau heeft me nodig. Ze kunnen geen seconde zonder mij. Haha. Deze charmante dame heeft aangeboden bij jullie te blijven totdat jullie au-pair-juffrouw terug is.'

'Om... om zes uur,' snuft Pip. 'Om zes uur komt ze thuis. Anna... Annabel. En Beer komt ook zo.'

Pfoe, gered! Hij snapt het!

'Beer?' vraagt de agent en zijn zwarte wenkbrauwen schieten omhoog.

'Berenice, onze zus,' zeg ik snel.

'Aparte namen hebben jullie,' zegt de agent. 'Ik dacht even dat jullie een beer als huisdier hadden, hahaha. Vandaar die rommel hier. Nou, komen jullie dan maar allemaal samen naar het ziekenhuis. Met de beer!'

Ik zie dat de vuilnisvrouw op haar lippen bijt.

'Goed, ik bel dan wel een taxi,' zegt de vuilnisvrouw. 'Er is al een vervanger voor mij opgeroepen, die maakt onze ronde af.'

De agent knikt en zegt gewichtig: 'Prima dame. Uitstekend geregeld. Ik ben onder de indruk. We hebben alle gegevens. U hoort nog van ons.'

Hij geeft Isabel een vette knipoog, draait zich om en loopt met stoere passen naar de deur.

Fletsj! klinkt het opeens. De agent glijdt uit, zwaait met zijn armen door de lucht en kan zich nog net vastgrijpen aan het aanrecht. Zijn pet vliegt door de lucht.

'Wat is dát?' roept hij geschrokken.

We kijken allemaal naar de vloer. Pip geeft een gil. Het is een kikker. Het was een kikker.

Hoofdstuk
15
Hersenpudding

Als de politieagent weg is, schraapt Isabel de geplette kikker met een lepel van de grond.

Als ze hem in de vuilnisbak wil doen, komt Pip aangelopen met een plastic doosje.

'Doe hier maar in,' zegt hij. 'Dan begraaf ik hem.'

Ondanks de ellende moet ik bijna lachen.

'Dat was een charmánte aftocht van meneer agent,' zegt Isabel. Ze strijkt een paar losse pieken uit haar gezicht. 'Wat een flapdrol.'

Ik grinnik. 'Zeg dat wel. Hij wist niet eens hoe hij "au pair" moest schrijven.'

'Waar kwam die kikker nou vandaan?'

'Ze komen uit het zwembad,' zeg ik. 'Of uit de badkamer, dat kan ook.'

Isabel glimlacht naar me, alsof het heel normaal is wat ik zeg. Ze heeft een zwarte veeg op haar wang en ik zie opeens dat er een bloedvlek op haar overall zit.

Ze ziet dat ik ernaar kijk. 'Ik ben meteen naar je vader toe gerend,' zegt ze. 'Ik heb een EHBO-diploma. We konden er echt niks aan doen, ik snap er niks van. Ik ben ook heel erg geschrokken.'

Ik begin opeens te rillen alsof ik het heel koud heb en ik kan er niet mee ophouden.

Een paar minuten later stormt Beer buiten adem de keuken binnen. 'Wat is er aan de hand? Er reed net een politieauto weg. Waarom staan die mensen daar buiten en waarom ligt jouw fiets op straat, Sam, en die tassen?'
'Papa heeft een ongeluk gehad. Hij ligt in het ziekenhuis,' zeg ik. Het rillen en het klappertanden is gelukkig opgehouden. Isabel heeft thee voor ons gezet.
'De vuilniswagen heeft hem aangereden,' zegt Pip.
Beer verbleekt. 'Wat heeft hij?'
'Hij heeft zijn been gebroken,' zegt Isabel. 'En ook een hoofd-wond en waarschijnlijk een hersenschudding.'
'Een hoofdwond? Erg? Wie... wie bent u eigenlijk?'
'De vuilnisvrouw,' zeg ik. 'Ze heet Isabel. Ze heeft hem aan-gereden met de vuilnisauto.'
'Vuilnis... Dus jij... Dus u... Zijn jullie... zijn jullie h-helemaal over hem heen g-gereden?'
'Nee nee,' zegt Isabel sussend. 'Gelukkig niet.'
'Ik wil naar hem toe!' roept Beer uit.
Isabel kijkt op haar horloge. 'Misschien kunnen we beter op jullie au pair wachten, het is bijna half zes.'
'Au pair?' vraagt Beer verbaasd.
Ik geef haar een duw. 'Ja,' zeg ik snel. 'Annabel komt om zes uur thuis. Maar misschien ook wel later, hoor, je weet hoe ze is. Ze is vast bij haar zus op bezoek gegaan, na het boodschappen doen. Dat doet ze wel vaker en je weet wat voor een kletskous dat is!'
Ik sta met mijn rug naar Isabel toe en trek gezichten naar Beer. Ze snapt er natuurlijk niks van.
'Ze kan ook naar haar oma zijn,' zegt Pip. 'Ja, dat kan, zoiets zei ze vanmorgen, en dat ze laat terugkwam, want ze ging pizza's eten met haar, en... en naar de... naar de dierentuin.'

'Hè? Waar hebben jullie het over? Volgens mij hebben júllie een hersenpudding!' zegt Beer.

Ik draai me om naar Isabel. Die trekt vragend haar wenkbrauwen op. Ik plof neer op een stoel en zak in elkaar.

'Beer, doe nou niet dom,' zeg ik. 'Annabel, onze au pair. Lijd je soms aan geheugenverlies?'

Ik zie vanuit mijn ooghoeken dat Pip ook gezichten naar Beer trekt. Veel te opvallend natuurlijk. Dan heeft Beer het door.

'Ooo... onze au pair! Annabél! Natuurlijk! Ja, die is op stap met haar ouwe oma, dat weet ik. We wachten gewoon op haar. U kunt wel naar huis gaan, hoor mevrouw... We redden ons best.'

Even is het heel stil in de keuken.

'Dit is misschien een rare vraag, maar... hébben jullie wel echt een au pair? En waar is jullie moeder dan?'

'We hebben geen moeder,' flapt Beer eruit.

'Ze is dood,' zegt Pip.

'O... dat wist ik niet... wat erg voor jullie.'

Ik zwijg en kijk naar de grond. Ik voel me zo moe. En ik heb buikpijn en ik ben bang. Wat gaat er met ons gebeuren? En met papa?

Ik neem een besluit. We hebben hulp nodig, van een volwassene. Het kan niet anders. Ik haal diep en trillerig adem en zeg, zonder haar aan te kijken: 'We hebben gelogen. We hebben geen au pair.'

Het is weer stil in de keuken, op Pips gesnuf na.

Ik bestudeer mijn nagels, die ik vanmorgen zwart gelakt heb. Dat lijkt wel een eeuwigheid geleden.

'Waarom... waarom hebben jullie dan gelogen tegen die agent?'

Ik kijk Beer hulpzoekend aan. Ze kijkt gauw de andere kant op en loopt naar de koelkast. Wat een lafaard. Als ze hem opendoet, komt er een vieze lucht uit. Ze pakt een fles cola eruit en doet de deur snel weer dicht.

'We zijn bang dat we naar een kindertehuis moeten, of naar een pleeggezin,' mompel ik.

'Waarom? Jullie vader zorgt toch voor jullie? Er kan nu toch tijdelijk een familielid op jullie passen? Of vrienden?'

Als de andere twee hun mond nu dichthouden, kan ik me er misschien nog uit redden. Maar nee.

'We hebben geen vrienden,' zegt Beer met een grafstem.

'En mijn vader heeft een writer's block,' zegt Pip.

Ik spring overeind. 'Kunnen we nu dan alsjeblieft naar het ziekenhuis gaan?'

80

## Hoofdstuk 16
### Een ijzeren poot

We zitten met zijn vieren in de wachtkamer. Ze zijn in mijn vader aan het snijden.

Ik ril bij de gedachte. Ik ben misselijk, maar ik probeer na te denken. Mijn hersens zijn net blubber. Beer heeft snoep uit de automaat verderop in de hal gehaald, en propt zich vol. Pip bladert met bibberige handen in een oude *Donald Duck*. Isabel leest in een tijdschrift over auto's. Ik bekijk haar onopvallend. Ze is eind twintig, schat ik, misschien wat ouder. Lang en bijna mager. Best knap. Geen spoortje make-up. Ze heeft haar vuilnispak uitgedaan, en draagt een Greenpeace-t-shirt en een versleten spijkerbroek met daaronder afgetrapte gympen. Waarom zou ze met ons mee meegegaan zijn naar het ziekenhuis? En waarom zou ze eigenlijk vuilnisvrouw zijn? Wie wil dat nou? Isabel kijkt op. Blozend wend ik mijn blik af.

Aan het eind van de hal komt een politieagent aangelopen. Het is een andere dan daarnet. Die komt waarschijnlijk weer vragen stellen.

Ik ga snel naast Isabel zitten en fluister in haar oor: 'Wil je alsjeblieft zeggen dat je onze au pair bent? Als papa in het ziekenhuis moet blijven en ze horen dat we geen moeder hebben, mogen we vast niet alleen thuisblijven. Plies, plies, help ons!'

Ze heeft geen tijd om te antwoorden. De politieagent staat voor ons. Hij haalt een opschrijfboekje tevoorschijn.

'Zijn jullie de kinderen van meneer van Zwanenburgh? Samantha, Bere... Berenice en Philip?'

We knikken alle drie tegelijk.

'En u bent hun au pair?' De agent krabbelt wat in zijn boekje en kijkt dan over de rand van zijn bril vragend naar Isabel.

Ik kijk Isabel smekend aan. Ze aarzelt. Pip, die links van haar zit, legt zijn hand op haar arm en zijn hoofd tegen haar schouder. Hij kan geweldig toneelspelen. Isabel slikt en schraapt haar keel. 'Ja, ik ben hun au pair.'

Ik knijp heel hard in haar arm en kan wel huilen van opluchting.

'Goed. Prima, dan ga ik nog even wat gegevens opschrijven.'

Er gaat een deur open in de gang en een verpleegster komt naar ons toe.

Ik spring overeind. 'Zijn ze klaar? Is het goed gegaan?'

De verpleegster knikt en glimlacht.

'Jullie mogen heel even naar hem kijken. Maar hij is nog onder narcose, hoor. Jullie moeten heel stilletjes doen.'

Even later staan we naast papa's bed. Zijn been zit in het gips en hangt aan een ingewikkelde installatie in de lucht. Er zitten pleisters op zijn gezicht en hij heeft een groot verband om zijn hoofd. Hij ziet spierwit, met donkere kringen onder zijn gesloten ogen. In zijn neus zit een slangetje, en ook in zijn arm. Het is bijna of hij mijn vader niet is, maar een enge pop uit het wassenbeeldenmuseum.

'Ze hebben hem weer mooi gerepareerd,' zegt de verpleegster. Ze draait aan de knopjes van de bewakingsmachine naast zijn bed. Ik staar naar mijn vaders hartslag.

'Hij wordt weer helemaal de oude, hoor,' zegt ze geruststellend.
'Hij heeft een dubbele beenbreuk. Ze hebben er ijzeren pennen
in gezet. Hij heeft ook een zware hersenschudding. We ver-
moeden dat hij geen hersenletsel heeft, maar als hij wakker
wordt, gaan we nog wat onderzoekjes doen.'
'Hersenletsel...' fluister ik geschrokken. Ik duw die gedachte
meteen weg. 'Wanneer mag hij weer naar huis?'
'Nou, dat duurt wel even, meisje. Ik denk dat hij minstens een
week of twee hier moet blijven. Maar nu moeten jullie gaan.
Morgen kunnen jullie weer met hem praten.'
'Wacht even,' zegt Pip. Hij haalt zijn blokje met gele briefjes uit
zijn zak. Dat heeft hij altijd bij zich.

Liefe pap
Ik was erg geschrokken, maar
het komt weer
goed! xxx pip
IJSERE
POOT! HA HA

'Pip!' zeg ik berispend. 'Dat zeg je toch niet zo!'
Maar ik ben blij dat hij zich zo goed houdt en weer een grapje
kan maken.
Beer schrijft ook een briefje.

Ik schrijf:

We plakken de briefjes op zijn kussen en sluipen zachtjes de kamer uit.
Nu moeten we Isabel zien te lozen.

Hoofdstuk
♡ 17 ♡
De liefste zus van
de wereld

Isabel brengt ons met de taxi naar huis. We zitten in de keuken.
Het is zo'n raar en onwerkelijk idee dat papa nu niet boven op
zijn werkkamer zit, maar in het ziekenhuis ligt.
'Ga nou maar, Isabel. We redden ons heus wel.'
'Hebben jullie geen familie in de buurt wonen?'
'We hebben alleen een oma, die woont in Zuid-Frankrijk,'
antwoord ik.
'En een vage tante in Amerika,' voegt Beer eraan toe. 'Geloof ik.'
'Kunnen jullie niet naar vrienden toe?'
Ik schud mijn hoofd.
'En is er een huishoudster?'
Weer schud ik van nee.
'Doet jullie vader alles alleen?'
We kijken elkaar aan en knikken.
'Met ons. We doen altijd alles samen, en dat gaat heel goed,' zeg
ik en ik schuif met mijn voet een lege cornflakesdoos onder
tafel. 'Maak je maar geen zorgen. Ga nou maar. Het is al negen
uur. Heb jij geen kinderen die op je zitten te wachten? Of een
man?'
Isabel schudt haar hoofd. 'Nee, hoor. Maar zijn jullie niet bang,
alleen in dit grote huis?'

'Welnee,' zeg ik stoer. 'We hebben een alarminstallatie.'
Snel geef ik Pip een trap onder tafel, als waarschuwing, voordat
hij eruit flapt dat die al jaren stuk is.
'We hebben speciaal afgerichte waakkikkers,' zegt Beer. 'Kwaak-
waak-kikkers.'
Isabel glimlacht en staat op. 'En het eten dan? Hebben jullie
honger? Is er iets in huis? Zal ik wat lekkers voor jullie koken?'
'We bestellen wel een pizza,' zeg ik.
Ze aarzelt. 'Weet je, ik kan er flinke problemen mee krijgen als
ze ontdekken dat ik niet echt jullie au pair ben en dat jullie hier
alleen in dit grote huis zitten. Die eerste agent weet dat ik van
de vuilnisophaaldienst ben en dat ik niet Annabel, maar Isabel
heet. Ik voel me er niet prettig bij, om eerlijk te zijn.'
'Nergens voor nodig. Die agent hebben we niet meer gezien. Je
krijgt er heus geen last mee,' zeg ik. 'En we zijn geen kleuters
meer, we zijn al veertien.'
'Jeetje, dat is oud,' zegt Isabel. 'Hebben jullie geld voor de
pizza's?'
'Geld is geen probleem,' zeg ik en ik trek mijn PP uit mijn
achterzak. 'Kijk maar. Echt, we redden ons wel.'
'Goed,' zegt Isabel. 'Maar ik voel me toch verantwoordelijk,
hoor. Ik kom morgen even langs om te kijken.'

We zitten samen aan tafel. Onze borden liggen vol pizza-
korsten.
Pip ziet er doodmoe uit. Ik heb ook het gevoel alsof ik een week
niet geslapen heb. Beer likt haar vijfde bakje chocomousse uit.
'Dit is voor het eerst dat we alleen thuis zijn,' zeg ik.
'Behalve de keer dat papa naar die filmpremière in New York
moest,' zegt Beer. Er zit chocomousse op haar neus. 'Maar toen
was die stomme au pair er. Hoe heette ze ook alweer?'
'Katrien Duck was dat,' zegt Pip. 'Ze is best aardig, vinden jullie
niet?'

'Wie? Katríen?' vragen Beer en ik tegelijk.

'Nee, joh, Isabel. Ik heb "de blik" nog niet in haar ogen gezien. Ze doet heel normaal.'

'Of ze weet nog niet wie we zijn, óf ze weet het goed te verbergen,' zeg ik. 'Vroeg of laat komt de aap toch wel uit de mouw. We moeten geen vreemden in huis. Dat loopt altijd verkeerd af.'

'Ik vind haar ook aardig. Ze lacht leuk,' zegt Beer. 'Ze heeft kuiltjes in haar wangen.'

Ik rol met mijn ogen. 'Ja, duh! Nou én? Jullie laten je veel te gemakkelijk inpakken.'

'En jij bent superachterdochtig,' zegt Beer.

'Terecht,' zeg ik. 'Ik ga naar bed.'

Beer springt opeens overeind en haar stoel valt om. 'O, chips!' Ze slaat nogal dramatisch met haar hand tegen haar hoofd. 'Ik heb mijn huiswerk niet gedaan. Ik heb morgen proefwerk Frans! Ik moet nog leren!'

'We gaan morgen gewoon niet naar school,' zeg ik.

'Spijbelen?' vraagt Beer met grote ogen.

'Ja, van één keertje blijf je heus niet van zitten, hoor!'

'Ik vind het prima,' zegt Pip. 'Ik wil zo snel mogelijk weer naar papa toe.'

Beer kijkt bedenkelijk. 'En mijn proefwerk dan?'

'Ach, dat haal je toch gewoon een keer in? Wat is er nou belangrijker?'

'Maar wie meldt ons dan af?'

'Ik bel wel en dan zet ik een zware stem op,' zegt Pip met zware stem.

'Oké dan,' zegt Beer. 'Voor deze ene keer!'

We sjokken achter elkaar aan de trap op. Ik laat alle lichten aan. Ik loop niet naar mijn kamer, maar naar die van papa.

Het vuur in zijn open haard is uit. Dat voelt als een slecht voorteken. Er trekt een rilling over mijn rug. Ik ga op zijn bureaustoel zitten en lees de gedichten die aan de muur hangen. Wie zou ze toch geschreven hebben? De computer staat nog aan en als ik op de entertoets druk, verschijnt er een leeg wit vel. Ik staar er met nietsziende ogen naar, net zolang tot het verdwijnt en het scherm weer zwart wordt.

Als ik op weg naar mijn kamer bij Beer naar binnen kijk, zie ik dat Pip bij haar in bed ligt. Dat is minstens een eeuw geleden. Vroeger deden we dat wel vaker en dan vertelden we elkaar verhalen totdat we in slaap vielen. Beer heeft een groot hemelbed. Normaal liggen er allemaal boeken in, maar die liggen nu op de grond.
'Slaap lekker, Sammie,' zeggen Beer en Pip tegelijk.
Ik slof naar mijn kamer. Annabel staat in het maanlicht. Ze heeft haar blonde pruik weer op en haar arm zit er weer aan. Er zit een geel briefje op haar voorhoofd geplakt.

Ik trek mijn pyjama aan en sprint terug naar Beers kamer.
'Schuif eens op!' zeg ik. 'Ik wil er ook bij!'

Hoofdstuk
18
Helemaal vergeten...?

'Pip! Kom hier!' gil ik met overslaande stem.
Pip verschijnt slaperig in zijn ogen wrijvend in de badkamer.
Ik wijs naar het bad. Er zit nog maar één miezerig klein kikkertje in.
'Ze zijn allemaal weggelopen, sufferd! Ze zitten door het hele
huis! Ik stapte er net bijna op een!'
'Getver,' schreeuwt Beer vanuit haar kamer. 'Er zit een kikker op
mijn bed!'
'Kus hem, misschien is het een prins,' gil ik terug. 'Doe iets, Pip!'
Pip kijkt onnozel naar een kikker die op de bril van de wc zit. De
bloeduitstorting bij zijn oog begint van paars naar groen te verkleuren.
'Hé zombie, komt er nog wat van?' Ik geef hem een duw.
Zijn ogen vullen zich met tranen.
'Sorry,' zucht ik. 'Het is misschien ook een beetje te vroeg om zo
hard te gillen. Dan wassen we ons maar niet. Kom op, we gaan
naar het ziekenhuis.'

We nemen de fiets. Als we halverwege zijn, realiseer ik me
opeens dat ik de achterdeur niet op slot gedaan heb. Dat ben ik
niet gewend, want papa is normaal altijd thuis. Ik besluit niet

terug te gaan. Dan wordt de boel maar leeggeroofd. Het kan me niks schelen ook.

Het ruikt altijd zo vies in ziekenhuizen. Naar ziekte, pijn en wanhopige mensen.
En naar de dood. Ja, ik weet het, ik overdrijf altijd, maar ik kan er niks aan doen. Ik heb de neiging mijn neus dicht te knijpen, maar dat ziet er ook zo raar uit. Ik adem door mijn mond, dan ruik ik minder.
We rennen de lift binnen, net voordat de deuren sluiten, en knallen bijna tegen een bed aan. We persen ons ertussen.
In het bed ligt een mevrouw en ter hoogte van haar buik zit een enorme bult. Ze heeft een bezweet gezicht en haar haren liggen in vochtige pieken op het hoofdkussen. Aan het hoofdeinde staat een verpleger te praten met een man. De vrouw kreunt zachtjes, ze heeft haar ogen dicht. Ik zie dat Pip het eng vindt en zich zo ver mogelijk in een hoekje drukt. Beer trekt een gezicht naar mij.
Ik bijt op mijn nagels. Ik hoor het woord keizersnee vallen. De man met wie de verpleger praat, ziet er zenuwachtig uit. Hij houdt de hand van zijn vrouw vast. Is ze bewusteloos? Ik moet opeens denken aan onze moeder. Zou ze ook zo gelegen hebben? En wat is er toen gebeurd? Ik weet dat wij ook met een keizersnee geboren zijn. Maar ik weet helemaal niet hoe het gegaan is. Papa wil er nooit over praten. Ik heb er al veel gruwelijke fantasieën over gehad. Dat is het nare als je iets niet weet: dan ga je het verzinnen. Ik wil het graag weten, maar tegelijk ook weer niet. Jouw schuld, het is allemaal jouw schuld! En dadelijk heb je ook nog je vader vermoord! zegt een stem in mijn hoofd.
Mijn knieën beginnen te knikken en ik moet me vasthouden aan het bed. Ik moet me sterk houden, voor Beer en Pip. Ik mag niet laten merken hoe ik me voel. Ik moet voor hen zorgen.

Dan zie ik opeens dat de vrouw in het bed haar ogen open heeft en naar me kijkt. Ze glimlacht. Ik glimlach aarzelend terug. De liftdeuren gaan open. Ik zou iets tegen haar willen zeggen, maar ik weet niet wat. Ik kijk haar na als ze de gang in gereden wordt. Dan hef ik mijn hand en zwaai.

'Zeg, wat ben jij nou aan het doen?' Beer trekt me terug de lift in. 'Kom op, we moeten nog hoger. Papa ligt toch op de vierde verdieping?'

Ik durf de kamer niet binnen te gaan. We staan alle drie voor de deur te treuzelen.

'We doen heel opgewekt,' zeg ik. 'Pip, wil je alsjeblieft niet meteen gaan huilen? We moeten papa opvrolijken.'

Pip kijkt me kwaad aan. 'Alsof ik er iets aan kan dóén. Denk je dat ik voor de lol de hele tijd zit te janken als een meisje?'

'Ho ho, hoezo als een meisje?' zegt Beer verontwaardigd. 'Alsof meisjes altijd janken! Wij zijn toevallig wel het sterke geslacht, hoor Piepje!'

Ik geef Beer een duw. 'Ja, ga nog een beetje ruziemaken ook,' zeg ik. 'Dat hebben we nu net nodig. Hou onmiddellijk op! En ga jij maar eerst naar binnen, jij bent de oudste.' Ik duw haar naar voren.

'Ik durf niet,' zegt Beer.

'Jeetje!' zeg ik. 'Wie is hier nou een piepje? Slappe soepkip!'

Ik klop op de deur, met zenuwscheuten in mijn buik.

Er komt geen antwoord. Ik doe een schietgebedje. Plies plies, laat alles in orde zijn met hem. Laat hem rechtop in bed zitten, met een brede glimlach.

'Misschien slaapt hij,' zegt Pip.

'Of... of...' zegt Beer en ze kijkt me angstig aan.

Ik geef haar een duw. 'Tuurlijk niet.' Zachtjes doe ik de deur open.

Mijn vader ligt alleen op de kamer. Hij heeft zijn ogen dicht. Zou hij nog bewusteloos zijn? In coma? Of toch... De zenuwen in mijn buik worden erger. Ik ben kotsmisselijk nu.

We sluipen naar het bed toe. Papa ziet er verschrikkelijk uit met al die slangetjes, dat been in de lucht en dat grote verband om zijn hoofd. Ik herken hem zo nauwelijks. De gele briefjes zitten niet meer op zijn kussen.

Ik schraap mijn keel. 'Papa?'

Mijn vaders wimpers trillen. Dan gaan zijn ogen open. Hij probeert te glimlachen zodra hij ons ziet staan. O, gelukkig!

Ik buig me over hem heen. 'Heb je pijn, pap?'

'Nee,' fluistert hij. 'Ja, een beetje. Mijn been...'

Pip haalt met veel lawaai zijn neus op. Beer slaat een arm om hem heen. Dat is het maffe van ons. Het ene moment kunnen we ontzettend lelijk tegen elkaar doen, en het volgende moment weer heel lief.

'Pap, het spijt me dat ik je gevraagd heb de vuilnisbakken buiten te zetten!' Ik pak zijn hand.

'Vuilnisbakken?' Zijn stem klinkt heel slapjes en zijn ogen gaan maar half open, alsof hij elk moment weer in slaap gaat vallen.

'Ja, de vuilnisbakken. Weet je dat niet meer?'

'Uh...'

'Je hebt een ongeluk gehad, pap. De vuilniswagen!'

Mijn vader kijkt me glazig aan.

'Weet je wel wie ik ben?' Mijn stem klinkt paniekerig, ik kan er niks aan doen.

Mijn vaders ogen vallen dicht. 'Helemaal vergeten...' mompelt hij.

Er komt een verpleegster binnen. 'Jullie moeten je vader nog niet te veel vermoeien,' zegt ze. 'Kom maar mee.'

'Wat is er met hem?' vraag ik haar als we op de gang zijn. 'Hij weet niet meer wat er gebeurd is.'

'Jullie vader heeft misschien een beetje geheugenverlies. Dat komt wel vaker voor als je hoofd een harde klap heeft gehad,' zegt de verpleegster. 'Maken jullie je maar niet ongerust. Ik heb in het dossier gelezen dat jullie au pair voor jullie zorgt. Is ze ook hier? De dokter wil even met haar praten.'

Ik krijg een kop als een biet.

'Uh... ze was ziek vanmorgen. Ze moest de hele tijd overgeven. Van de schrik, denk ik.'

'Ze komt vanmiddag,' zegt Beer. 'Misschien...'

De verpleegster kijkt op haar horloge. 'Om twee uur is het eigenlijk pas echt bezoekuur,' zegt ze. 'Jullie kunnen nu beter gaan. Jullie vader moet rusten.'

**Hoofdstuk 19**
**Kikkerbillen en Slijmjurken**

We staan gelukkig alleen in de lift. Zou die mevrouw haar baby
al gekregen hebben? Zou het goed zijn gegaan?
'Waarom kijk je zo naar me, Beer?' vraag ik, als ik haar blik in de
spiegel opvang. Ze kijkt kwaad en beschuldigend.
'Jij vond dat alles anders moest. Nou, je hebt je zin gekregen.
Heb je nog meer van die goede ideeën?'
De tranen schieten me in mijn ogen. 'Wat gemeen! Bedoel je dat
het mijn schuld is? Ik kan er niks aan doen!' Ik bal mijn vuisten
en doe een stap naar haar toe.
'Dat bedoelt Beer ook helemaal niet,' zegt Pip en hij trekt me
terug. 'Rustig nou maar, Sam!'
Ik laat mijn armen zakken en draai me met mijn rug naar mijn
zus toe.
Mijn schuld, het is wel mijn schuld, klinkt het weer in mijn
hoofd. Beer vindt het ook. Zie je wel. Ik bijt zo hard op mijn
lippen dat ik bloed proef.

'Ik heb maar een beetje opgeruimd, dat is tenslotte mijn beroep
als vuilnisvrouw. Jullie hoofd staat er nu vast niet naar,' zegt
Isabel als we de keuken binnenkomen. 'Kijk, deze ben ik nog
tegengekomen.' Ze haalt de deksel van een pan af en laat zien

wat erin zit. Een stuk of zeven kleine kikkertjes en vier grote.
'Houden jullie van kikkerbilletjes?'
Beer en Pip grijnzen. Het aanrecht is schoon en de vloer ook. Op
de keukentafel staat een bosje bloemen uit de tuin. De ramen
staan open en er waait een warme wind naar binnen.
'Zijn jullie bij je vader op bezoek geweest?'
'Ja,' zeg ik kortaf. 'Wat doe je hier eigenlijk? Hoe kom je
binnen?'
'Ik heb gisteren toch gezegd dat ik nog even langs zou komen?
De achterdeur was niet op slot. Ik heb geroepen, maar niemand
gaf antwoord. En omdat ik moest wachten, heb ik me intussen
nuttig gemaakt.'
'Wat aardig van je,' zegt Beer.
'Ja,' zegt Pip terwijl hij rondkijkt. 'Zo schoon is het hier nog
nooit geweest. Dat heb je snel gedaan!'
'Nou, bedankt Pip,' zeg ik.
'Ik heb thee gezet,' zegt Isabel. 'En ik heb een appeltaart mee-
gebracht. Zelfgebakken.'
'Mmm,' zegt Beer. 'Ik heb honger. We hebben nog niet eens
ontbeten.'
'Vertel eens, hoe is het met jullie vader?'
Pip gaat aan tafel zitten. 'Hij heeft geheugenverlies. Hij weet
niks meer van het ongeluk.'
'Hmm... misschien maar goed ook,' zegt Isabel. Ze zet de taart
op tafel en snijdt hem aan. Pip springt op en pakt bordjes.
'Hoezo?' vraag ik bozig.
'Dan wordt hij tenminste niet kwaad op mij. Jij ook appeltaart,
Sam?'
Ik kijk haar niet aan. Beer en Pip zitten aan tafel, verlangend
naar de appeltaart te kijken. Hoe kunnen ze? Isabel staat erbij
alsof ze al honderd jaar bij ons woont.
Ik hoor hier niet bij en ik wil het ook niet. 'Nee, ik ga naar
boven,' zeg ik kortaf.

Op mijn kamer staat ook een boekenkast. Een kleintje, vergelijken bij die van Beer. Er liggen dikke stapels modetijdschriften in en op de bovenste plank staan al mijn vaders boeken.

Hij heeft er meer dan twintig geschreven. Hij heeft ook een televisieserie over een drieling geschreven. Twee meisjes en een jongen, ook zonder moeder. Lekker origineel. Ze hadden andere namen, maar iedereen wist dat het over ons ging. Op school werd er altijd over gepraat. Ik werd er helemaal doodziek van indertijd. 'Is dat echt gebeurd? Hebben jullie dat ook gedaan? Ziet jullie huis er zo uit? Is jullie vader echt zo verstrooid?' Papa is er na drie jaar mee gestopt omdat wij het zo vervelend vonden. Toen werd er een bioscoopfilm van de serie gemaakt en werd het nog veel erger. Ik had het gevoel dat de hele wereld naar ons keek. Afschuwelijk.

Daarna heeft hij nog een paar boeken geschreven, maar die waren minder succesvol dan zijn vorige. Toen hield het op. Hij kreeg geen letter meer op papier. Hij had alsmaar hoofdpijn, werd somberder en kwam steeds minder van zijn kamer af.

Ik pak een boek uit de kast en bekijk de achterkant. Er staat een foto van hem op, jonger en lachend. Maar als je je hand over zijn mond legt, zie je dat zijn ogen niet meedoen.

Ik denk dat hij toen wij klein waren zo hard werkte om niet aan de dood van onze moeder te hoeven denken. Ik geef een kus op de foto en zet het boek terug.

Iemand heeft de tassen die ik gisteren op straat had gegooid, op mijn kamer gezet.

Ik pak de kleren uit. Drie paar schoenen, een pet, twee broeken en twee t-shirts, maat xxl. De broeken en de t-shirts zijn voor Beer. Ik hoop dat ze passen.

De schoenen gooi ik in een hoek en ik zet de pet op Annabels hoofd. Ik ben er helemaal niet blij mee. Beneden hoor ik Pip en

Beer lachen. Ik voel me buitengesloten en vreselijk alleen. Ik laat me achterover op mijn bed vallen en staar naar het plafond. Het beeld van papa in het ziekenhuisbed komt de hele tijd terug. Zo zielig, met al die enge slangen in zijn lijf.

Even later hoor ik stemmen op de gang, ze gaan naar boven. Ik sluip de trap op naar de zolder en gluur om de hoek van Pips deur. Isabel staat voor het bos op de muur. Pip staat verlegen naast haar.

'Jeetje, dit is práchtig,' zegt ze. 'Niet te geloven. Zoiets heb ik nog nooit gezien. Wat groot! En zo écht! Wie heeft dit geschilderd?'

'Ik,' zegt Pip.

Ze kijkt hem met grote ogen aan. 'Echt waar?'

Pip knikt verlegen. Isabel loopt langzaam langs de muur, bukt hier en daar en gaat op andere plekken op haar tenen staan om stukken beter te kunnen bekijken. Ze neemt er alle tijd voor.

'Het lijkt wel of ik echt door het bos wandel. Zijn jullie dit?' Ze wijst naar de drie dansende kinderen in het maanlicht. Pip knikt weer.

Isabel loopt naar het donkere gedeelte en blijft met een peinzend gezicht voor het kruis staan. Ik hou mijn adem in. Ze zegt er niks over. Zou ze het begrijpen? Vast niet. Alleen ik begrijp Pips bos.

Ik kan haar gezicht niet zien. 'Het is echt fantastisch, Pip, je bent een kunstenaar!'

Pip heeft een kop als een boei.

Dan wijst Isabel naar de vliegdingen die aan de balken hangen. 'Heb jij die ook gemaakt?'

Pip knikt weer. Zijn ogen stralen. 'Je mag er wel een uitzoeken, hoor.'

Ik sluip weg en trap bijna op een kikker. Getver! Wat een slijmjurken! Die stomme Pip is een verrader, een overloper. Zelfs ik

mag niet eens zo'n vliegding voor op mijn kamer hebben! Ik
hoop dat die Isa-lellebel dadelijk over de kikker uitglijdt, van de
trap valt en haar nek breekt.

Meteen schaam ik me voor mijn eigen gedachten. Waarom voel
ik me nou zo? Ben ik jaloers? Nee, dat is het niet. Ik ben bang dat
ze zich zo uitslooft om het geld. Omdat papa zo beroemd is. Dat
ze het allemaal niet meent.

Ik kom pas van mijn kamer af als ze weg is. Pip zit aan tafel te
tekenen. Dat is ongewoon, want hij zit de laatste tijd altijd op
zijn eigen kamer.

'Er is nog één stuk taart over,' zegt Beer. 'Als jij het niet wilt, eet
ik het op.'

Op het glanzende schone aanrecht staat een grote punt appeltaart, op een bord. Er zit een geel briefje op geplakt.

Voor Sam
Alles komt goed
maak je maar geen
zorgen, hoor
Ik kom gauw weer
langs.
Eet smakelijk Isabel

Ik ben diep beledigd. De gele briefjes zijn van ons. Van onze
familie. Wat denkt dat mens wel niet? Ik verkreukel het briefje
en gooi het op de grond.

'Eet jij het maar op. Ik hoef het niet,' zeg ik nors. 'Jullie moeten
niet zo aanpappen met haar.'

'Waarom niet?' vraagt Beer met volle mond. 'Ze is aardig. Ze is anders dan de anderen. Echt, Sam. Ze is... gewoon... normaal. Ze heeft mijn Frans overhoord.'

'Ze vond mijn bos mooi,' zegt Pip. 'En mijn vliegdingen ook. We hebben nog twaalf kikkers gevangen en ze teruggegooid in het zwembad. Isabel zegt dat ze het daar juist hartstikke fijn vinden, anders waren er niet zoveel.'

'Nou, fijn,' zeg ik en ik smeer een boterham met pindakaas. 'Zet een bordje langs de straat met "Kikkerbillen te koop". Of "Kikkerkwekerij Van Zwanenburgh". Of kook er voor mijn part soep van.'

'Lekker humeur heb jij,' zegt Beer. 'Stuk chagrijn. Je moet juist blij zijn. Ze doet hartstikke veel voor ons. Het is half twee, zullen we naar het ziekenhuis gaan?'

# Hoofdstuk 20
## Jasper, Juul en Karlijn

Als we de gang van de vierde verdieping op lopen, komt de verpleegster naar ons toe.

Ze drukt een kop koffie in mijn hand. 'Dit is voor jullie au pair,' zegt ze.

Onze au pair? Jeetje, wat een opdringerig mens is die Isabel. Nu is ze hier ook alweer!

Isabel zit naast mijn vaders bed. Ze heeft geen vuilnispak aan deze keer, maar een spijkerbroek, een wit bloesje en goedkope teenslippers.

'Hoi Sam, Beer en Pip, ik ben ook op ziekenbezoek. Even checken wat voor schade ik heb aangericht,' zegt ze glimlachend.

Op het nachtkastje staat een grote bos roze pioenrozen. De uitsloofster.

Ik heb een klein bosje bloemen uit de tuin bij me. Pip heeft een chocoladecake gebakken, Beer heeft een boek voor papa uitgezocht.

Mijn vader glimlacht wazig naar ons. Hij ziet er iets wakkerder uit, maar heeft nog steeds overal slangetjes. Ook de monitor staat er nog. Ik word doodzenuwachtig van dat piepding.

Pip ploft neer op het voeteneinde van papa's bed, vlak naast zijn opgehesen been. Mijn vaders gezicht vertrekt van de pijn.

'Voorzichtig, Pip!' roep ik. 'Ga eraf! Sufferd!'

Geschrokken springt hij van het bed af.

Zou papa zijn geheugen alweer terug hebben? Ik kwak de koffie op het nachtkastje, negeer Isabel en pak papa's hand. 'Hé pap, hoe is het nou met je?'

Beer komt naast me staan. 'Weet je wie wij zijn?'

'De drie musketiers?' zegt mijn vader. 'Kwik, Kwek en Kwak?' Hij grijnst zwakjes. 'Nee, hoor, ik hou jullie voor de gek. Natuurlijk weet ik wie jullie zijn.' Hij pakt Pips hand. 'Jasper, Juul en Karlijn, schatten van me. Wat heerlijk om jullie weer te zien.'

Wij staren onze vader aan. Houdt hij ons voor de gek?

Jasper, Juul en Karlijn zijn de namen van de drieling in de televisieserie.

Hij glimlacht naar Isabel. 'Joke, kom er eens bij zitten, lieverd.' Beer verslikt zich in haar kauwgum en krijgt een hoestbui. Pip begint te giechelen.

Joke was de naam van de buurvrouw met wie de vader in de serie een relatie kreeg.

'Papa!' roep ik uit. 'Hou daarmee op!'

Mijn vader kijkt me verbaasd aan. 'Waarmee, schat?'

Pip proest het nu uit en Beer ligt dubbel. Ik niet. Ik vind het eng. Ik kan zien dat hij het serieus meent.

Een dokter met een map onder zijn arm komt de kamer binnengelopen. 'Zo zo, wat een vrolijke boel is het hier!'

'Zeg dat wel,' zeg ik. 'Pap, kom op, doe nou normaal.'

Mijn vader sluit zijn ogen en glimlacht zwakjes. 'Maar Karlijntje, ik dóé toch normaal? Ik heb alleen een gebroken been.'

'En een gigantische hersenpudding,' zeg ik.

De dokter wendt zich naar Isabel. 'Mevrouw, kan ik u even onder vier ogen spreken? Gaat u even mee naar mijn kantoor? En kinderen, jullie zijn een beetje te druk, dat is niet goed voor jullie vader. Hij moet zich echt heel kalm houden.'

'Ik was er bijna in gestikt,' zegt Beer als we weer op de gang staan. Ze heeft rode ogen van het hoesten.

'Moet je maar geen kauwgum eten. Staat ook hartstikke ordinair,' zeg ik bits.

'Het zou niet erg geweest zijn, hoor,' zegt Pip. 'Je bent toch in het ziekenhuis. Dan maken ze gewoon een gat hier' – hij wijst naar het kuiltje onder aan zijn keel – 'en dan stoppen ze er een lege balpen in en dan blazen ze daar lucht door.'

'Hou op, man,' zegt Beer. 'Hé Sam, hield papa ons nou voor de gek of niet?'

Ik haal mijn schouders op. 'Ik hoop het maar, want anders is er iets goed mis.'

Isabel komt aangelopen door de gang. Ze ziet er geschrokken uit. Ik heb het gevoel dat ze iets ergs gaat zeggen. Mijn benen beginnen te trillen en mijn maag draait om.

'Wat is er?' vraag ik. 'Wat zei de dokter?'

Isabel kijkt ons ernstig aan. 'Ze hebben vanmorgen nog een hersenscan gemaakt, en die was niet helemaal in orde.'

'Wat?' roep ik. 'Hoezo niet helemaal in orde?'

Ik zie dat ze aarzelt. Ik wist het! Ik wist het! Het is iets ergs! Het liefst zou ik nu heel hard wegrennen, of mijn vingers stijf in mijn oren stoppen. Ik wil het niet horen.

'Het spijt me heel erg, jongens, maar ze hebben ontdekt dat er een tumor in zijn hersens zit. Dat verklaart ook hoe hij onder de vuilniswagen is gekomen. Hij heeft waarschijnlijk een black-out gehad en daardoor is hij gestruikeld of gevallen.'

Pip barst in huilen uit. 'Dus hij... dus hij gaat dood!'

Isabel legt haar arm om hem heen. 'Dat hoeft helemaal niet, Pip. Ze weten nog niet of het goedaardig of kwaadaardig is. Het kan best zijn dat het meevalt.'

Beer ziet spierwit. 'Daarom had hij de laatste jaren zo'n last van hoofdpijn.' Ze pakt mijn hand en knijpt hem zowat fijn.

'Hij wordt morgenochtend geopereerd,' zegt Isabel zacht.

# Hoofdstuk 21
## Sprookjes, maar dan anders...

Pips bed staat bij een afschuwelijk eng stuk bos. Het is het laatste stuk van de muur, helemaal in de hoek. Ik krijg er kippenvel van.

Ik lig naast hem. Hij ligt stijf als een plank en zijn voeten zijn net ijsklompen. Beer is nog in de badkamer. Als ze zich rot voelt, staat ze altijd heel lang onder de douche.

'Hé Pip, zou je je bed niet beter naar een vrolijker stuk kunnen verschuiven? Ik krijg hier nachtmerries van.'

'Dit ís een nachtmerrie. Als papa doodgaat, wil ik ook dood. Dan hebben we niemand meer.'

'We hebben altijd elkaar nog. En hij gaat heus niet dood,' fluister ik. 'Echt niet. Ik weet het gewoon.'

Ik weet het helemaal niet zo zeker. Ik ben net zo bang als Pip, maar ik mag het niet laten merken. Ik moet de flinkste zijn. Isabel wilde per se blijven slapen, maar ik heb gezegd dat het niet nodig was. Ik wil geen vreemden in ons huis. Zelfs nu niet. We kunnen het best alleen.

Ik hou onder de dekens Pips hand vast. Die is koud en klam, net als de mijne.

Ik wil er niet aan denken wat ze met mijn vader gaan doen, maar ik zie de hele tijd enge beelden voor me. Ik vond het vroeger leuk om naar tv-operaties te kijken. Had ik dat maar nooit gedaan. Ik heb eens gezien hoe ze een schedel openzaagden. Ze deden het met een boor, een zaag, een hamer en een beitel en het maakte veel lawaai. Ik kijk nooit meer naar dat soort programma's. Smerig.

'Ik heb de post uit de brievenbus gehaald,' zeg ik om ons allebei af te leiden. 'Er zat alweer een gedicht bij.'

Hij geeft geen antwoord. Hij ligt met zijn gezicht naar de muur en staart naar een skelethand die boven de dorre bladeren uitsteekt.

'Zal ik het voorlezen?'

Pip haalt zijn schouders op. Ik kruip uit bed. De brief zit in de zak van mijn kamerjas. Ik ga ermee op de vensterbank zitten. De maan geeft net genoeg licht om bij te lezen.

*Weet je*

*Weet je, ooit*
*(je weet maar nooit)*
*waren de dingen vanzelf*
*sprekend*
*voor zich*
*Jij en ik*
*en je hand om mijn hoofd*
*als je sliep*
*en ik wakker lag*
*luisterend naar gefluister*
*uit de toekomst*
*met grote bange ogen*
*en open mond*

*Hou me vast*
*laat niet gaan*
*Weet je*
*je weet maar nooit*

Ik zucht en kijk naar buiten. De gedichten zijn allemaal zo treurig en zo toepasselijk. Zou het een soort enge reclameactie zijn? Maar waarvan? Van een begrafenisonderneming? Ik ril en staar naar buiten.

'Hé Pip, kom eens kijken, snel!'

Pip krabbelt uit bed en komt naast me staan. Er zwemmen twee zwanen in het erwtensoepzwembad. Een zwarte en een witte. Heel stil, met hun koppen naar elkaar toe. De volle maan weerspiegelt in het donkergroene water. De zwanen weerspiegelen ook, zodat het er vier lijken.

Ik sla mijn arm om Pip heen. 'Dit is een teken,' fluister ik. 'Zwart en wit. Goed en kwaad...'

'Nu is het zwembad een zwanenmeer,' zegt hij zachtjes. 'Het Zwanenmeer, maar dan anders.'

We kijken een hele tijd, zwijgend. Na een poos krijgen we het koud, en duiken we weer in bed.

'Maar dan anders' was een spelletje dat we vroeger vaak deden, als we niet konden slapen. We vertelden samen een sprookje, ieder om de beurt een paar regels. We haalden alles door elkaar en maakten het zo gek mogelijk. Roodkapje ging bijvoorbeeld op bezoek bij Grietje. Ze gingen samen in het bos spelen. Hun favoriete spelletje was heksje pesten. In het bos woonde een oude zielige heks, die alleen maar beukennootjes at, en daarom erg verzwakt was en al haar toverspreuken vergat.

Op een dag kwam er een prins op een wit paard voorbij en die betrapte Roodkapje en Grietje, net toen ze bezig waren een dwerg door de brievenbus van de heks naar binnen te proppen. De prins werd heel kwaad, sleurde hen allebei op het paard en nam hen mee naar het kasteel, waar hij hen opsloot in een toren. Toen moest Hans hen komen redden. Hij schakelde de hulp in van Assepoester, die een zwarte band in karate had. Samen

veroverden ze het kasteel. De prins werd verslagen en in de kerker gesmeten. Daar zat Klein Duimpje toevallig ook. Samen ontsnapten ze en ze gingen naar de heks. Klein Duimpje kon heel lekker koken en mestte de heks vet, zodat ze op krachten kwam en weer fatsoenlijk kon toveren. Toen trokken ze samen met een leger van dwergen naar het kasteel. De dwergen waren heel boos op Hans, Grietje en de rest, in verband met het brievenbusproppen en dwergje-slingeren, dat was ook een spelletje dat ze vaak speelden. In het kasteel vond een bloederige strijd plaats, en zo ging het maar door.
Sprookjes, maar dan anders.

De deur gaat piepend open en Beer glipt naar binnen, met natte haren en een doodsbang gezicht. Ze draait de deur op slot, wurmt zich naast ons en trekt het dekbed tot aan haar neus op. 'Er zijn inbrekers in huis!' sist ze.
'Inbrekers?' piept Pip met hoge stem.
'Ja, vast. Je houdt ons voor de gek,' zeg ik. 'Je wilt ons gewoon bang maken.'
'Echt niet,' zegt Beer. 'Ik stond onder de douche en toen hoorde

ik iemand praten, met een lage stem. Het leek net alsof hij een boer liet.'

'Een inbreker die een boer laat. Ja ja. Heb je soms weer tonic gedronken? Schuif eens op, Beer. Je past er niet meer bij. Ik word helemaal verpletterd.' Ik probeer Beer uit bed te duwen, maar ze is te zwaar.

'Echt! Ik hoorde iemand!'

'Ik geloof er niks van. Heb je iemand gezien?'

'Nee, ik heb gewacht tot ik niks meer hoorde en toen ben ik als een gek naar boven gerend.'

'Als een gek, zeg dat wel,' zeg ik.

'Jij bent echt stom, Sam. Ik wilde wél dat Isabel bleef slapen. Ik vind het helemaal niet fijn om alleen thuis te zijn. Jij doet altijd net alsof je de baas bent. Jij beslist alles!'

Beer geeft een boze ruk aan de dekens.

'Hé, laat dat!' zegt Pip. 'Nou lig ik bloot.'

'Sjjjt!' fluistert Beer. 'Niet zo hard! Dadelijk komen ze hierheen.'

'Mens, daarnet was er nog niemand,' zeg ik. 'Je zit ons gewoon te stangen. Hou ermee op. Dadelijk kan Pip niet slapen.'

Ik vind het eigenlijk ook best eng. Stel je voor dat er echt iemand in huis is.

'We moeten de politie bellen,' fluistert Pip. Ik voel dat hij ligt te trillen van de zenuwen. Als hij nou maar niet overstuur raakt.

'Nee, joh, sufferd, geen politie, dan worden we zeker afgevoerd naar een kindertehuis,' fluister ik. 'We gaan gewoon slapen. De deur zit op slot, niemand kan hier binnen. We zijn hartstikke veilig. En ze mogen beneden alles meenemen voor mijn part. Ga opzij, Beer, je plet me echt.'

'Au, je knijpt! Ik val eruit!'

'Ik ga wel omgekeerd liggen, met mijn hoofd aan het voeteneinde,' fluistert Pip. Hij trekt zijn dekbed los en kruipt over ons heen naar de andere kant.

'Dankjewel, Pip,' fluister ik tegen zijn tenen. Ze stinken een beetje.

'Getver Pip, wanneer heb jij je voor het laatst gewassen?' zegt Beer.

Ik kietel hem onder zijn voeten.

'Niet doen!' gilt Pip en hij trekt zijn benen op.

'Au!' gil ik. 'Mijn neus is gebroken!'

'Sssjt,' sist Beer. 'Stil, anders horen ze ons!'

We verstijven alle drie.

'Wat als ze nou hiernaartoe komen, en... en een bijl bij zich hebben en daarmee de deur inslaan?' piept Pip. Zijn tenen wriemelen zenuwachtig naast mijn gezicht.

'Ik ben bang, Sam.'

Ik ben ook best bang, maar ik probeer het niet te laten merken. Als Pip echt over zijn toeren raakt, slapen we de hele nacht niet, en ik ben doodmoe.

'We kunnen proberen te vluchten,' fluistert Beer. 'Ga eens uit het raam kijken of dat kan, Sam.'

'Doe het zelf,' zeg ik.

Beer kijkt me smekend aan. Haar ogen glanzen in het maanlicht en haar adem ruikt zoet, naar snoepjes. 'Plies?'

Ik zucht, kruip uit bed en sluip naar het raam. De zwanen slapen, met hun kop in hun veren, vredig dobberend op het donkergroene water. Ik heb ooit gehoord dat zwanen heel goede waakdieren zijn. Of waren dat ganzen? Als de zwanen slapen, dan is er toch niemand beneden? Ik voel mijn moed door deze gedachte een beetje terugkomen. Het is onmogelijk om vanuit dit raam naar beneden te klimmen. Veel te hoog.

Ik loop zachtjes naar de deur en leg mijn oor ertegenaan. Doodse stilte. 'Kwaaaak!' klinkt het opeens heel hard vanaf de gang.

Ik proest het uit. 'Beer, ik denk dat ik weet wat je gehoord hebt!'

Ik draai de sleutel om en doe de deur op een kiertje. Op de houten vloer zit een grote bruingroene kikker. 'Kwaaaak!' doet hij nog een keer.

Ik doe gauw de deur dicht, voordat hij naar binnen springt. Beer en Pip zitten rechtop in bed, met het dekbed opgetrokken tot aan hun kin.

'Haha, het is een kikkertje. Jij hebt gewoon een dolgedraaide fantasie!'

Beer kijkt beledigd. 'Ik hoorde echt een stem.'

'Je ziet spoken. Het was gekwaak. Zullen we nou maar weer naar ons eigen bed gaan, bange Beertje?'

'Nee, ik blijf bij Pip slapen.'

Het idee om helemaal in mijn eentje een verdieping lager te liggen, trekt me niet erg aan. Ik zucht. 'Nou, dan blijf ik ook hier. Allemaal eruit!'

'Waarom?' vraagt Beer verontwaardigd.

'Ik heb geen zin om oog in oog met een skelet te slapen.'

Mopperend kruipen Beer en Pip eruit. Ik schuif het bed naar het stuk waar de drie kinderen dansen in het maanlicht. Daarna worstelen we ons er weer in.

'Als sardientjes in een blikje,' moppert Beer.

'Als een drieling in de buik van hun moeder,' fluister ik.

Ik kan me nauwelijks bewegen, zo krap liggen we. Als ik het wel doe, bewegen de andere twee mee. Ik voel hun warme armen, benen en buiken. Het voelt veilig en vertrouwd.

'Hoe zou het met papa zijn?' vraagt Pip. 'Zou het goed of kwaad zijn wat er in zijn hoofd zit?'

Dat is waar we alle drie de hele tijd aan denken, maar waar we niet over durven te praten. Het is te eng.

'Het gaat vast goed,' zeg ik. 'Zullen we een sprookje doen, maar dan anders?'

'Goed idee,' zegt Beer. 'Het is lang geleden dat we dat voor het laatst gedaan hebben.'

'Oké,' fluister ik en ik glimlach. 'Ik begin, als Pip zijn grote teen even uit mijn neus haalt. De volgorde is SamBeerPip.'

Ik draai mijn gezicht naar het bos. 'Dit is het verhaal van de Kikkerkoning. Er waren eens drie koningskinderen die met een gouden bal aan het spelen waren...'

Beer gaat verder: 'De bal vloog over de muur van de paleistuin en rolde de straat op. De kinderen klommen op de muur, verder durfden ze niet, want dat had de koning hun streng verboden.'

'Er kwam toevallig net een grote gele vuilniskoets voorbij,' zegt Pip. 'Hij remde vlak voor de gouden bal. Er stapte een vuilnisvrouw uit. "Wat krijg ik als ik jullie je bal teruggeef?" vroeg ze.'

'Het kleinste koningskind zei: "Je krijgt niks, vuilnisvrouw. Ik haal hem zelf wel, ga maar gauw terug naar je vuilniskoets,"' zeg ik. 'En...'

'Nee, nu ben ik,' zegt Beer en ze knijpt me in mijn arm. 'En het tweede koningskind zei: "Nee zus, dat mag je niet, anders hakt onze vader je hoofd eraf. Vuilnisvrouw, als je hem haalt, krijg je goud en juwelen enne... voor de rest van je leven gratis snoep."'

'Duh!' Ik rol met mijn ogen.

'De vuilnisvrouw keek de drie koningskinderen aan en zei: "Nee, ik wil jullie snoep en jullie goud en juwelen niet, ik wil jullie vriendschap,"' fluistert Pip.

Ik kreun en ga verder: '"Ik geloof er niks van," zei het kleinste koningskind. "Waarom zou je onze vriendschap liever willen dan gratis snoep?"'

'Kwaaak,' klinkt het op de gang.

'Hij wil naar binnen,' gniffelt Beer. 'Hij wil bij ons in bed. Het is een prins.'

'Gezellig,' zeg ik. 'Hoe meer zielen, hoe meer vreugde.'

Pip snuft. Ik knijp in zijn grote teen. 'Hé, wat is er nou?'
Pip houdt zijn voeten stijf, alsof het zijn mond is die niks wil
zeggen. Grappig, nooit geweten dat er ook tenentaal bestaat.
'Nou, zeg het, anders bijt ik in je vieze tenenkaastenen.'
'Zijn wij niet de moeite waard om vrienden mee te zijn?' vraagt
Pip met een klein stemmetje.
De maan schuift achter een wolk, zodat het net lijkt alsof
iemand het licht uitdoet.
'Natuurlijk wel,' zeg ik.
'Ja,' zegt Beer ook, 'natuurlijk wel.' Haar stem klinkt niet erg
overtuigd.
'En toen kwam er een kikker met een lange snuit, en die blies
een dikke snottebel uit,' fluister ik. 'Laten we maar gaan slapen.
Welterusten.'
'Welterusten,' fluisteren Beer en Pip.

# Hoofdstuk 22, "Goed, kwaak!"

Het is acht uur, de zon schijnt door het schone raam naar binnen. Pip zit aan de keukentafel, diep gebogen over een tekening. Beer staat weer eens onder de douche.

Ik heb slecht geslapen. Pip had last van nachtmerries en praatte de hele tijd in zijn slaap. En Beer snurkt als een oude kameel. Toen ik eindelijk even insliep, droomde ik dat een skelet in een witte doktersjas papa's hoofd openzaagde, met een broodmes. Het maakte een enorme herrie (waarschijnlijk was dat Beers gesnurk).

Om de operatietafel heen dansten kikkers, met kroontjes op hun kop, en ze kwaakten in koor: 'Goed, kwaad, goed, kwaad!' of: 'Goed, kwaak!', dat kon ik niet verstaan. Toen stak de skelet-dokter zijn vingers in mijn vaders hoofd, haalde er een gedicht uit en gaf het aan mij. Ik probeerde het te lezen, maar ik kon het niet. Toen raakte ik in paniek, want ik wist dat het heel belangrijk was wat erin stond. De kikkers begonnen steeds harder en dreigender te kwaken. 'Goed, kwaak, goed, kwaak!' Ik stopte mijn vingers in mijn oren om het niet meer te horen.

En daarna schrok ik wakker, met Pips voet tegen mijn wang aan.

De deurbel gaat. Pip rent ernaartoe. Het is Isabel. Ze heeft een net met sinaasappels en een papieren zak bij zich.

'Hoi Sam. Beetje geslapen?'

Ik haal mijn schouders op. 'Ben je er nou alweer? Je begint echt wel op een au pair te lijken.'

Isabel lacht. 'Was ik niet van plan, hoor.'

Ze perst de sinaasappels uit, zet thee en dekt de tafel. Uit de zak komen croissantjes tevoorschijn.

Wij ontbijten nooit aan een gedekte tafel. Ik zit er als een zombie bij.

'Er zitten zwanen in jullie zwembad,' zegt ze. 'Een witte en een zwarte. Waren die er altijd al?'

Ik schud van nee. 'Ze zijn vannacht gekomen.'

Pip kijkt op van zijn tekening. Hij is de zwanen aan het tekenen, in een meertje, omringd door rozen. 'Het zwembad is veranderd in een Zwanenmeer. Maar dan anders.'

'Dat is een goed teken,' zegt Isabel. 'Dat zul je zien.'

Als Beer een kwartier later naar beneden komt, liggen alle croissantjes er nog. Niemand heeft trek. Beer wel. Hoe slechter ze zich voelt, hoe meer ze eet.

Binnen vijf minuten zijn ze allemaal verdwenen.

We zitten met zijn vieren om de keukentafel. Isabel leest een krant, die ze heeft meegebracht. Beer zit boven haar aardrijks- kundeboek. Ze krabt aan haar pukkels. Het zijn er een heleboel. Pip tekent. Ik heb een Engels boek voor me liggen, maar het lukt me niet om zelfs maar één woord in me op te nemen. De keukenklok tikt oorverdovend. Het is pas half tien. Wachten duurt lang als ze in je vaders hoofd aan het wroeten zijn. Ik moet om de vijf minuten naar de wc, van de zenuwen.

'Hoe laat zijn ze begonnen met de operatie?' vraagt Beer.

'Om negen uur,' antwoordt Isabel. 'Ze bellen als ze klaar zijn.'
Ze staat op. 'Zullen we iets gaan doen? Laten we het huis opruimen, dat is fijn voor jullie vader als hij thuiskomt.'
Áls hij thuiskomt, denk ik.
'Sorry, ik moet leren,' zegt Beer.
'En ik wil deze tekening afmaken, hij is voor papa,' zegt Pip.
'Oké,' zegt Isabel opgewekt. 'Prima, hoor. Maar ik kan nooit zo goed stilzitten, dus ik ga toch maar even aan de slag, als jullie het niet erg vinden.'
Terwijl ze een emmer vol heet water laat lopen, vraagt ze: 'Wie zijn eigenlijk Jasper, Juul, Karlijn en Joke?'
'Weet je dat niet?' vraag ik verbaasd.
'Nee. Zou ik die dan moeten kennen?'
Wat een wonder, hier is iemand die de tv-serie én de film niet gezien heeft.
'Weet je niet wie onze vader is?'
'Jawel, hij heet Walter van Zwanenburgh.' Isabel bukt zich en opent een kastje. Er rolt van alles over de grond.
'Maar weet je niet wat voor beroep hij heeft?'
'Nee.'
'Onze vader is schrijver,' zegt Beer. 'Hij is best beroemd. Hij heeft ook voor de televisie geschreven. Het zijn de namen van een drieling uit een serie van hem. Er is ook een bioscoopfilm van gemaakt.'
Isabel zet de kraan uit. 'Goh, dat wist ik niet. Ik heb nog nooit van hem gehoord. Ik heb de afgelopen twaalf jaar in Amerika gewoond. Ik ben pas een half jaar terug.'
Dat had ik niet verwacht. Ze weet niet wie wij zijn. Ik bestudeer haar gezicht. Zou 'de blik' nu verschijnen?
Maar ze vraagt verder niks meer en loopt naar de woonkamer met de emmer met sop.

We helpen toch alle drie mee. We zuigen en dweilen de woonkamer, zemen de ramen en ruimen stapels troep op. Na twee uur is het huis onherkenbaar schoon. Maar nog steeds geen telefoon van het ziekenhuis. Ik begin me steeds ellendiger te voelen. Dit duurt veel te lang.

Als hij doodgaat, is het mijn schuld. Mijn droom van vannacht spookt de hele tijd door mijn hoofd. Buiten kwaken de kikkers. Goed, kwaak!

Ik ben op mijn kamer en probeer mijn rondslingerende kleren in een kast te proppen. Pip en Beer zijn op hun eigen kamer bezig. Isabel klopt op mijn openstaande deur. 'Mag ik binnenkomen?'

Ik haal mijn schouders op.

Isabel gaat op het bed zitten en kijkt rond. 'Gezellige kamer heb je.'

Ik prop een paar T-shirts in de kast en doe dan snel de deur dicht, maar hij gaat weer open.

'Misschien gaat het beter als je ze opvouwt.'

'Geen zin in,' brom ik.

'Zal ik helpen?'

Ik haal weer mijn schouders op.

'Gooi de boel maar op het bed,' zegt Isabel. 'Doen we het samen.'

Ik aarzel en kijk in de kast. Wat een puinzooi. Dan duw ik met mijn volle gewicht alles nog dieper erin.

'Nee, het gaat best zo,' zeg ik.

Ik raap gauw een onderbroek op en stop hem in een volle la. Ik sta met mijn rug naar Isabel toe.

'Waarom ben je hier eigenlijk?' flap ik eruit.

Het is even stil. Ik draai me om. Isabel kijkt uit het raam, naar de zwanen, die er nog steeds zijn.

'Omdat ik me verantwoordelijk voel, denk ik.'

'Hoezo?' vraag ik heftig. 'Dat ben je helemaal niet. Je zei zelf dat het een ongeluk was. Je hebt hier niks te zoeken, hoor! Je palmt Beer en Pip in, ik merk het heus wel! Waarom? Wat wil je van ons?'

Isabel kijkt me gekwetst en niet-begrijpend aan. 'Ik wil niks van jullie.'

'Heb je medelijden met ons of zo?' Ik schop een paar teenslippers onder mijn bed.

'Nee... dat is het niet.'

'Wat dan wel?'

Isabel gaat op het bed zitten. 'Omdat... ik weet het niet. Ik weet ook wel dat het niet mijn schuld is dat je vader nu in het ziekenhuis ligt. Maar toch... als ik beter uitgekeken had... Daar moet ik de hele tijd aan denken. En ik vind het naar voor jullie dat jullie hier alleen zitten en dat er niemand voor jullie zorgt.'

'Pfff, dat zijn we wel gewend, hoor. We redden ons prima.'

'Ja, dat is het ook, denk ik.'

'Wat bedoel je nou weer?'

'Weet je Sam, jij lijkt een beetje op mij. Ik herken mezelf in jou.'

'WAT? Pfff, hoe kom je daar nou bij?'

'Toen ik klein was, zorgde ik ook voor mijn vader, en voor mijn jongere broertje.'

'Maar ik, wij...'

'Ik zie heus wel dat jij het huishouden hier draaiende houdt. Dat bijna alles op jou neerkomt.'

Ik krijg een kleur. 'Dat valt best mee, hoor, we doen het gewoon allemaal samen.'

'Nou, ik ga maar weer eens naar beneden.' Isabel loopt naar de deur toe.

'Waarom moest jij dan voor hen zorgen?'

Ze draait zich om en zegt met een verdrietig gezicht: 'Omdat mijn moeder wegliep met iemand anders toen ik negen was, en mijn vader daarna te veel ging drinken.'

'O,' zeg ik. 'Jeetje. Wat rot voor je.'

Ik weet me geen raad met mijn houding. Ik doe de kast open en graai er een armvol verfrommelde kleren uit en leg ze op het bed.

Zwijgend vouwen we ze samen op.

'Weet je nog hoe je moeder eruitzag?' vraag ik na een tijdje.

'Ja, hoor, dat weet ik nog goed.'

Ik leg de opgevouwen t-shirts terug. 'Ik niet. Mijn moeder ging vlak na onze geboorte dood. Wij hebben zelfs geen foto's van haar en mijn vader wil er niet over praten.'

Isabel zwijgt. Ze is bepaald geen kletskoustype.

'Het was mijn schuld,' ga ik verder. 'Drie was te veel. Ik was de derde. Als ik er niet was geweest, leefde ze misschien nog.' Ik bijt hard op mijn lippen. Waarom zeg ik dit nou? Tegen een wildvreemde? Idioot die ik ben!

'Het is heus niet jouw schuld, Sam,' zegt Isabel zacht. 'Dat dacht ik vroeger ook altijd, over alles. Als er iets niet goed ging, gaf ik mezelf de schuld. Ik dacht dat ik niet lief, slim en knap genoeg was. Ik dacht dat mijn moeder daarom weg was gegaan. Omdat ik niet de moeite waard was. Dat was natuurlijk helemaal niet zo.'

Ik sta op, ik moet iets doen, anders ga ik janken. 'Wanneer belt het ziekenhuis nou?' zeg ik. Ik loop mijn kamer uit en wrijf snel mijn ogen droog. Ik ga naar papa's kamer, plof neer op zijn stoel en leg mijn handen op het toetsenbord. Er zit een briefje op zijn scherm geplakt.

1 VUILNISBAKKEN
2 STOFZUIGEN
3 WASTAFEL REPAREREN
4 ZWEMBAD IETS AANDOEN
5 NAARBAKKER
  - LEKKERE TAART
  - KRENTENBOLLEN
  - VOLKORENBROOD

Als ik me omdraai, zie ik dat Isabel me gevolgd is. Ze staat voor de gedichten aan de muur en leest ze.
'Die hebben we met de post gekregen,' zeg ik. 'Er stond geen afzender op. We weten niet waar ze vandaan komen. Ik vind ze best mooi.'
Isabel heeft een rood hoofd.
'Vreemd, hè?' vraag ik.
Isabel haalt haar neus op, loopt naar het raam en zet het wijd open.
De as uit de koude open haard waait door de kamer heen.

**Hoofdstuk 23**
**Geluk bij een ongeluk**

Het is twee uur in de middag. Er is nog steeds niet gebeld. Ik hou het bijna niet meer uit.

Beer heeft van de zenuwen alles wat eetbaar was in huis opgegeten, ze heeft zelfs de pot pindakaas leeggelepeld. Pip zit op zijn kamer. Er sijpelt muziek naar beneden door. *Het Zwanenmeer*, van Tsjaikovski.

We zitten aan de keukentafel en kijken naar de telefoon. Mijn schuld, mijn schuld, als hij doodgaat, is het mijn schuld, dreunt het weer door mijn hoofd.

Dan gaat de telefoon. Isabel neemt hem meteen op.

Ik kan niet horen wat er gezegd wordt. Na een paar seconden legt ze neer. 'Ze zijn klaar,' zegt ze. 'Kom Sam, roep Beer en Pip, we gaan.'

We scheuren op de fiets naar het ziekenhuis. We rijden door rood licht en er wordt getoeterd. We hebben geen geduld om op de lift te wachten en rennen de trappen op. We lopen papa's gang op. Mijn hart staat stil als ik zijn deur opendoe en naar binnen kijk. Zijn bed is leeg.

'Hij is er niet! Hij is dood! Waarom heb je dat niet gezegd?' Ik draai me om naar Isabel, die ook met grote ogen naar het lege bed staart. Ik trek aan haar arm. 'Hij is dood, hij is dood en het is mijn schuld!'

Ik laat me op de grond vallen. Ik heb het gevoel dat ik moet overgeven, dat ik stik, dat mijn hart breekt. Beer en Pip barsten ook in huilen uit.

Isabel knielt naast me neer.

'Het is mijn schuld, ik heb het gedaan, en nu is hij dood! Het is mijn schuld! Ik heb papa ook vermoord!'

'Maar meisje, hoe kom je daar nou toch bij? Jij hébt het helemaal niet gedaan, je was er niet eens bij.'

'Nee, nee,' gil ik, 'het is wel mijn schuld, ik had hem gevraagd om de vuilnisbakken buiten te zetten. Ik wilde dat alles anders werd.'

Ik zie opeens twee benen in een witte broek voor me staan.

'Wat is hier aan de hand?'

Het is de dokter. Hij helpt ons overeind. Ik durf hem niet aan te kijken en verberg mijn gezicht in mijn handen. Nu gaat hij het zeggen.

Pip trekt de dokter aan zijn mouw. 'Is hij dood? Is mijn vader dood?' schreeuwt hij. Zijn stem slaat over.

'Nee,' zegt de dokter verbaasd. 'Hoe komen jullie daar nou bij? Meneer Van Zwanenburgh maakt het naar omstandigheden goed. De operatie is geslaagd.'

Ik haal mijn handen voor mijn ogen weg. 'M-maar waar is hij dan?' stotter ik.

'In de uitslaapkamer natuurlijk,' antwoordt de dokter.

♡ Lieve pap
gauw beter
woorden!!
xxx pip ♡♡

♡ Lieve papperdeflappertje
Nu wordt écht alles anders
je hebt een nieuw hoofd
gekregen (van Brad Pitt!!)
en het goede nieuws is...

Je word
weer helemaal
beter.

xxx xxxxxxx
van Sam
(heel blij!)

Beterschap, PAPPie!
Luf joe Muts!
(joe heb een nieuw
hoofd gekregen!)

Het is donker en ik lig in bed. Alleen. Ik ben klaarwakker. Het kikkerkoor kwaakt uit volle borst en het is warm. Ik heb het dekbed van me af gegooid. In het donker lig ik naar het plafond te staren en te grijnzen als een idioot.

Ik heb papa's leven gered, zonder dat ik het wist. De tumor zat al heel lang in papa's hoofd. En die groeide en groeide. Als papa dat ongeluk niet had gehad, was hij er waarschijnlijk wél aan doodgegaan. De tumor was al bijna zo groot als een mandarijn, had de dokter gezegd. Het gezwel knelde allerlei dingen af. Daarom had hij altijd zo'n hoofdpijn en was hij zo vergeetachtig. Daarom was papa de laatste jaren waarschijnlijk ook zo veranderd. De dokter zei dat het een geluk bij een ongeluk was, omdat ze het anders niet ontdekt hadden. En dat hij weer helemaal de oude wordt. Of beter gezegd: de nieuwe.

Ik voel me ontzettend gelukkig. Zo gelukkig als nu ben ik nog nooit geweest. De steen die in mijn maag zat, is verdwenen. Vanavond heb ik voor het eerst sinds het ongeluk weer met smaak gegeten. Indiaas, en het was heel lekker. Isabel heeft gekookt, samen met Pip. Ze logeert nu toch bij ons, in een van de ongebruikte kamers, totdat papa terugkomt.

Het is 23:55 op mijn wekkerradio en ik lig te draaien. Misschien is Beer beneden. Ik heb heel erg de behoefte om met iemand te praten.

Aan de keukentafel zit Isabel, in een witte nachtjapon. Ze zit te schrijven bij het licht van de waxinelichtjes. Voor haar op tafel staat een kop thee. Haar blonde haar is los en valt langs haar gezicht, waardoor ze er jong uitziet.

Ze is in gedachten verzonken en kauwt op haar potlood. Ik kuch. Ze kijkt op en draait snel het schrijfblok om.

'Hoi Sam, kun je niet slapen?'

'Nee, het is nog te vroeg,' zeg ik. 'Normaal liggen we er pas later in. Ik dacht dat Beer beneden was.'

'Wil je ook een kopje pepermuntthee? Daar slaap je lekker van.'

'Graag.'

Omdat ik zo'n goed humeur heb, besluit ik wat aardiger tegen Isabel te doen. Ik begin te denken dat ze inderdaad anders is dan de anderen. 'De blik' heb ik nog steeds niet gezien. Misschien hebben Beer en Pip toch gelijk, en ben ik te achterdochtig en wantrouwend.

'Fijn hè, dat het zo goed afgelopen is met je vader.'

'Ja,' zeg ik. 'Ik ben echt zó blij.'

'Ik ook,' zegt Isabel met een glimlach. Ze staat op en pakt een theekopje voor me, uit de schone, keurig opgeruimde keukenkast, en schenkt het vol.

'Weet je...' zeg ik, terwijl ik in het kopje blaas. 'Eerst dacht ik dat wat er gebeurde zo'n beetje het allerergste was wat ons kon overkomen. Maar nu blijkt het opeens het allerbeste te zijn! Ik kan het nog steeds bijna niet geloven. Het is zo raar.'

'Ja,' zegt Isabel. 'Het is ook heel bijzonder. Dit gebeurt soms in het leven. Dat zijn de magische dingen. Je denkt dat iets heel verschrikkelijk is, maar later ben je er dankbaar voor.'

Ik ben nieuwsgierig naar wat Isabel schrijft en gluur naar het papier. 'Is dat een brief aan je vriendje?'

Tot mijn verbazing bloost ze. 'Nee, uh... naar... mijn broer.'

'Heb je geen man, of een vriend?'

'Nee. Niet meer.'

Ik kijk haar aan. 'Volgens mij hou je nog steeds van hem, hè?'

'Hoe weet jij dat nou?'

'Ik kan het zien aan je gezicht.'

Isabel bloost. 'Iedereen zegt dat mijn gezicht een open boek is. Heel lastig.'

'Wil je erover vertellen?'

Isabel haalt haar schouders op. 'Het is nogal afgezaagd, denk ik. Hij... Max was... is getrouwd en heeft twee kinderen. Hij zei dat hij voor mij zou kiezen... dat hij zou gaan scheiden. Ik heb drie jaar op hem gewacht. En toen zei hij dat hij toch bij zijn vrouw bleef. Ik ben... ik was er kapot van. Daarom ben ik weggegaan uit Amerika... Ik wilde alles achter me laten en een nieuw leven beginnen. Voor mezelf kiezen, in plaats van de hele tijd maar af te wachten.'

Isabel veegt haar neus af aan de mouw van haar nachtjapon. 'Ik weet niet waarom ik je dit vertel. Ik praat er normaal nooit over. Sorry dat ik je hiermee lastigval. Jij bent nog veel te jong voor dit soort dingen.'

'Helemaal niet,' zeg ik. 'Ik ben vanbinnen veel ouder dan veertien. Ik snap dit soort dingen best, hoor. En bovendien zie ik al dat relatiegedoe elke dag in soaps. Ik ben een expert. Mannen geven altijd gedonder.'

Isabel lacht door haar tranen heen. 'Nee, hoor, zo erg is het nou ook weer niet. Ik was gewoon een stomkop, dat is het.'

'Misschien is dit ook wel zo'n magisch geval,' zeg ik. 'Eerst slecht, dan goed. Misschien ben je over een poosje wel hartstikke blij en opgelucht dat hij bij zijn vrouw wilde blijven. Anders had je misschien wel tot je tachtigste zitten wachten op die sukkel!'

'Je bent een wereldwijs tiepje,' zegt Isabel lachend. 'Lang leve de soaps!'

Ik grijns en pak de theepot. 'Wil je nog een kop thee?'

Isabel recht haar rug en wrijft in haar ogen. 'Nee, dank je. Ik ben best moe. Ik ga naar bed, voor mij is het al heel laat. Ik lig er meestal veel vroeger in. Blaas jij de kaarsen dadelijk uit?'

'Ja... goed... slaap lekker, Isabel.'


Ik staar in het flakkerende kaarslicht. Het geluksgevoel is er nog steeds. Nog meer dan daarnet zelfs. Ik geloof dat Isabel geen toneel speelt. En ze is aardig. Ik hoop dat ze blijft. Misschien wil

ze wel echt onze au pair worden. Dat zou fijn zijn! Eindelijk zou
ik het dan niet meer alleen hoeven doen. Ik zou met haar
kunnen praten. Haar raad kunnen vragen over tampons en zo.
We zouden samen op mijn bed naar soaps kunnen kijken, en
lachen om al dat gedoe.
Ik pak Isabels pen en een geel briefje uit de keukenla.

Isabel,
Zou je onze au-pair
echt willen worden?
Het lijkt my heel
gezellig en Beer & Pip
ook, denk ik...

Ik zuig op de pen en kriebel bloemetjes op het briefje. Papa
moet het natuurlijk ook goedvinden. Maar dat vindt hij vast
wel. Wat zal ik er nog meer bij zetten?
Dan valt mijn blik op het schrijfblok dat ze heeft laten liggen. Ik
aarzel, maar mijn nieuwsgierigheid wint. Ik draai het om.
Het zijn de eerste regels van een gedicht:

> *Verandering*
> *sluipt op kousenvoeten*
> *tussen de regels door...*

Dan zie ik dat Isabels rugzak onder de tafel ligt. Hij ligt half-
open. Dat is raar... ik buk me en trek hem een stukje verder
open. Mijn adem stokt in mijn keel.

Als ik weer in bed lig, kan ik niet in slaap komen. Ik woel en draai en mijn gedachten jagen elkaar als dolle beesten achterna. Steeds zie ik weer de rode enveloppen in Isabels tas. En die eerste regels van het gedicht.

Ik probeer de puzzelstukjes in elkaar te passen. Die gedichten die we in de brievenbus kregen, zijn van Isabel... Waarom heeft ze dat gedaan? Waarom? Papa is schrijver. Hij heeft contacten, hij is beroemd, hij is rijk...

Ik schiet overeind in bed. Zou ze hem expres aangereden hebben?

Nee, dat kan niet, waarom zou ze? Aan een dode beroemde schrijver heeft ze niks. Ik ga weer liggen. Maar ze wil iets van hem, dat is duidelijk. Misschien wil ze beroemd worden en hoopt ze dat mijn vader haar daarmee kan helpen. Ze wist dus wél wie hij is. Dus toch! Dus alweer... Ze heeft gelogen, ze heeft ons misleid. Ze heeft ons bedrogen. O, wat ben ik kwaad op haar. En dan ook nog zeggen dat je een gezicht als een open boek hebt! Ik ga weer overeind zitten en gooi mijn dekbed van me af. Stik, stik, stik! Net nu ik dacht dat ze te vertrouwen was. Net nu ik haar aardig begon te vinden. En nu ligt ze zelfs aan het eind van de gang te slapen in een van onze bedden! Isabel moet weg uit ons leven, en wel zo snel mogelijk.

De volgende ochtend word ik wakker met een rotgevoel en barstende koppijn. Ik heb de hele nacht liggen woelen. Ik voel me zo gaar als een bord pap. Ik strompel naar de badkamer, op zoek naar een aspirientje.

Op de wastafel ligt Isabels toilettas. Het liefst zou ik hem uit het raam smijten. Er staat een flesje parfum naast, met een geel briefje erop geplakt.

Ik smijt het flesje in de prullenmand.

Dan kijk ik op mijn horloge, dat op de rand van het bad ligt. Stik, half negen al, we moeten naar school. Ik ren naar boven om Pip uit zijn bed te sleuren.

Hij is nog in diepe slaap. Zijn bed staat voor het vrolijke deel van het bos. Hij is weer aan het schilderen geweest. Ik sluip naar het stuk waar de verfpotten staan. Pas na een minuut of zo zie ik wat er veranderd is: half verstopt achter de bladeren van de bomen, op de weg die van het donkere gedeelte van het bos naar het lichte gedeelte leidt, rijdt een felgele vuilniswagen.

'Boe,' roept Pip opeens.

'Man, je laat me schrikken!'

'Goh, dat was nou echt niet mijn bedoeling,' zegt Pip en hij gaat rechtop zitten. Hij is zo mager dat je zijn ribben kunt tellen.
'Schiet op, Pip, we moeten naar school, we zijn al veel te laat!'
'Kunnen we niet weer spijbelen?'
'Nee, joh, dat valt op. En dan mis je te veel.'
'Jammer,' mompelt Pip. 'Stomme rotschool.'
'Hoe beter je je best doet, hoe sneller je ervanaf bent.'
'Het lukt me toch niet.'
'Wel. Tuurlijk wel. Schiet nou maar op.'

Ik aarzel. Moet ik hem vertellen wat ik ontdekt heb? Ik werp nog een blik op de wandschildering en besluit er nog maar even mee te wachten.

Als ik in de keuken kom, zit Beer aan de keukentafel te leren. Het schrijfblok met het gedicht is weg.
'Kijk eens wat er op de wastafel stond?' Ze houdt een witte tube omhoog. Er zit een briefje op geplakt.

'Aardig hè, van Isabel. Ik ben zo blij dat ze er is, Sam. Het is nu veel gezelliger in huis. En schoner!'

Ik klem mijn kiezen op elkaar. 'Moet jij niet naar school?'

'Jawel, eerste uur vrij. En jij?'

'Eerste twee uur,' lieg ik. 'Is Isabel er nog?'

'Ja, volgens mij wel.' Beer klapt haar boek dicht en stopt het in haar tas.

'Hé, ik ben weg, tot vanmiddag, zussie! Ik ben om kwart over één uit en ik ga daarna meteen naar papa toe, goed?'

'Oké, ik kom ook wel als ik klaar ben.'

Als Pip ook weg is, ren ik naar boven, naar papa's werkkamer, ik ruk de gedichten van de muur en prop ze in elkaar.

'Hé, wat doe je nou?' Isabel staat in haar pyjama in de deuropening. Haar haar hangt los om haar gezicht en ze ziet er slaperig uit.

'Ik heb je door,' roep ik. 'Je bent een gemene leugenaar!'

Isabel verschiet van kleur.

'Wat bedoel je, Sam? Ik weet niet waar je het over hebt.'

'Dat weet je best!' gil ik. 'Doe maar niet net of je het niet snapt. En ik wil niet dat je iets laat merken aan Pip en Beer, die hebben al genoeg verdriet gehad om dit soort dingen!'

'Sam, ik weet echt niet wat je bedoelt...'

Ik heb moeite om haar niet op haar onschuldige blauwe ogen te timmeren.

'Je zou actrice moeten worden in plaats van schrijfster,' schreeuw ik met overslaande stem. 'Je kunt fantastisch toneelspelen! Donder op uit ons leven! Ik wil dat je nu meteen weggaat en nooit meer terugkomt!' Ik smijt een gedicht op de grond en stamp erop. 'Ga weg! Hoor je me?'

Mijn maag balt samen en mijn hoofd bonkt.

'Ik hoor je,' zegt Isabel. 'Die gedichten... Sam, luister... ik kan je alles uitleggen.'

'Nee, dat hoeft niet, ik snap het helemaal. Je wilde gewoon misbruik van ons maken. Je wist dat mijn vader een beroemde schrijver was. Je hebt hem vast en zeker gewoon nodig. Om zijn geld, om zijn beroemdheid, omdat hij je kan helpen, weet ik veel! Je gaat nú weg, en je laat je nooit meer in onze buurt zien. En als je dat niet doet, ga ik naar de politie en vertel ik alles. Dan vertel ik dat je hem expres hebt aangereden.'

'Dat is niet wáár! Sam... luister nou... je vergist je echt!' Isabels stem klinkt smekend.

'Nee, helemaal niet! Ik vergis me niet!' gil ik. 'Ik wil je nooit meer zien. Ga weg!'

Ik ren naar mijn kamer en doe de deur op slot. Dan val ik op bed neer en begin te huilen. Maar met mijn hoofd onder mijn kussen, zodat ze het niet hoort.

*Hoofdstuk*
❀ *25* ❀
*Brieven voor Sam*

Ik zet keiharde muziek op. Het is al tien uur. Ik ga niet naar school, ik voel me te beroerd. Ik zet de muziek nog harder. Ik kleed Annabel aan. Ik zet de tv aan. Ik probeer een boek te lezen. Ik kleed Annabel weer uit. Ik kijk naar de zwanen.

Om half twaalf zet ik de muziek uit en ik leg mijn oor tegen mijn deur. Zou ze al weg zijn?

Ik besluit het erop te wagen. Ik doe mijn deur op een kier open. Het is doodstil in huis en de gang is leeg. Ik wacht nog even en sluip dan naar Isabels kamer. Ook daar luister ik aan de deur. Niks te horen. Heel langzaam doe ik de deur op een kier en gluur naar binnen. Er is niemand. Isabels spullen zijn weg, haar bed is afgehaald, het dekbed ligt netjes opgevouwen aan het voeteneinde.

Op het kussen ligt een rode envelop. 'Voor Sam', staat erop geschreven.

Ik maak hem open.

Lieve Sam,

*Soms is schrijven en lezen makkelijker dan praten en luisteren.*
*Ik zal het je uitleggen van die gedichten.*
*Mijn manier om mijn gevoelens te verwerken is altijd schrijven*
*geweest. Ik heb vanaf mijn negende een dagboek bijgehouden,*
*en gedichten geschreven. Ik wilde altijd al dichter worden. Ik heb*
*geprobeerd om mijn gedichten in een bundel uit te geven.*
*Maar geen enkele uitgever was geïnteresseerd. (Dat was in*
*Amerika.)*
*Toen ik terug was in Nederland vond ik een tijdelijk baantje, als*
*vuilnisvrouw. Verstand op nul en de hele dag buiten. Dat had ik*
*nodig op dat moment.*
*Op een gegeven moment kreeg ik het idee mijn gedichten te*
*kopiëren en ze tijdens mijn vuilophaalrondes in brievenbussen te*
*doen. Dan zouden ze toch gelezen worden. Dat vind je vast en*
*zeker raar, en dat is het misschien ook.*
*Jullie brievenbus was een van de vele waar ik ze in stopte. Ik wist*
*echt niet wie jullie vader was en had dus geen enkele bijbedoeling.*
*Ik ben er na het ongeluk ook meteen mee gestopt. Ik hoop dat je*
*me wilt geloven. Het is gewoon stom toeval dat jullie vader een*
*beroemde schrijver is.*
*Of niet. Want eigenlijk geloof ik niet dat toeval bestaat. Alles wat*
*er gebeurt, heeft een reden. Alleen zie je dat soms niet meteen. Net*
*zoals dat ongeluk van je vader.*

*Ik vind het fijn dat ik jullie heb leren kennen. Jullie zijn een heel*
*bijzonder gezin, en niet om de redenen die jij denkt. Jullie zijn*
*bijzonder om wie jullie zijn.*
*Zorg goed voor jezelf.*

*Liefs van Isabel*

Ik vouw de tweede brief open. Het is een gedicht.

*Maar dan anders – voor Sam*

| | |
|---|---|
| *Niet het zwembad* | *maar de zwanen* |
| *Niet de kikkers* | *maar het koor* |
| *Niet zoals het toen was* | *maar zoals het nu is* |
| *Is het altijd anders dan daarvoor* | |

| | |
|---|---|
| *Niet de leugen* | *maar de liefde* |
| *Niet het einde* | *maar een nieuw begin* |
| *Niet het bos* | *maar de bomen* |
| *Niet ertussenuit* | *maar ermiddenin* |
| *Niet de aap* | *maar de mouw* |
| *Niet de adder* | *maar het gras* |
| *Niet de pech* | *maar het geluk* |
| *in een onverwachte jas* | |

Ik lees de beide brieven wel tien keer.
Dan hol ik naar beneden, naar buiten, en bel aan bij de buren.
Niemand thuis. Ik ren door onze tuin heen, kruip door de heg
en kom in de tuin van de andere buren uit. Ik bel weer aan, heel
lang achter elkaar.
Plies plies, wees thuis, smeek ik in mijn hoofd. De deur gaat
open.
Onze buurvrouw, gebruind en keurig in de lak, kijkt me
geschrokken aan.
'Kind, wat is er aan de hand? Is er iets ergs aan de hand? Waarom
loop je zo over straat? Is het je vader?'
Ik kijk naar beneden. Stik, ik ben vergeten me aan te kleden en
heb mijn pyjama nog aan. Ik steek de brief naar voren. 'Hebt u
wel eens zo'n rode envelop als deze in de bus gehad?'

De buurvrouw pakt de brief aan en bekijkt hem. 'Ja, gut! Jullie ook al? Ik heb er een stuk of vier, vijf gehad. Er zaten gedichten in. Ik dacht eerst dat ze van een geheime bewonderaar waren, hahaha! Maar toen hoorde ik dat Angelique, die verderop in de straat woont en bij mij op aerobics zit, ze ook had gehad. En mevrouw Donner, die aan de andere kant van het park woont, ook! Haha, zij dacht ook al dat ze een aanbidder had. Ze is drieëntachtig! Het idee! Ik denk dat het een soort nieuwe huis-aan-huisactie is of zo. Maar ik weet niet waarvoor. Als je het mij vraagt...'

Ik luister niet langer en graai de brief terug. De buurvrouw kakelt gewoon door. Ik draai me om en ren naar de heg. Voordat ik ertussendoor kruip, draai ik me om.

'Vond u ze eigenlijk mooi, die gedichten?'

Ze kijkt me berispend aan. 'Samantha, waarom loop je niet gewoon over het pad? Je maakt mijn keurige heg kapot.'

'Sorry, ik zal het niet meer doen. Vond u ze mooi, de gedichten?' vraag ik nog een keer.

De buurvrouw glimlacht. 'Ja, eigenlijk wel! Het leek wel of ze over mij gingen! Vreemd, hè?'

Hoofdstuk
♡ 26 ♡
Niet het einde,
maar een nieuw
begin

Vandaag is de eerste dag van het nieuwe begin. Dat voel ik.
Ik had een heel fijne droom vannacht. Ik droomde weer van die
glazen bellen. Maar nu ging het anders. De bellen versmolten.
De mensen die erin opgesloten zaten, kwamen bij elkaar. Ze
waren niet meer alleen. Isabel was er ook. De bel gloeide en
straalde licht uit en draaide heel langzaam rond. Toen landde
hij op een open plek in het bos, op een grasveld, bezaaid met
bloemen. Hij spatte uit elkaar en iedereen viel achterover in het
gras en lachte en lachte. En toen begon Pip te dansen, heel mooi
en sierlijk, en kwamen er opeens overal kikkers vandaan, met
gouden kroontjes op, en die dansten allemaal samen, op de
muziek van *Het Zwanenmeer.*

Ons huis ziet er geweldig uit. We hebben met onze PP's flink
staan wapperen. Overal staan bloemen. De bloemenwinkel kon
wel sluiten nadat wij langs waren geweest. De bakker en de
supermarkt ook. Beer is nu al straalmisselijk, want ze moest
natuurlijk alles voorproeven. Pip heeft wel vijf verschillende
taarten gebakken. Daarna wilde hij proberen om de zwanen een
bloemenkrans om te hangen. Je raadt het al, hij is weer in de
erwtensoep gevallen. Nu drijven er witte rozen in het groene
water, dat staat ook heel mooi. Ik heb buikpijn van de zenuwen.

Ik hoop dat Isabel komt. Vandaag was het vuilnisophaaldag. Ik was niet thuis, omdat ik naar school moest. Ik wilde niet weer spijbelen, want ik heb al zoveel gemist. Ik wil eigenlijk toch wel graag overgaan. Ik heb op de vuilnisbak een briefje geplakt. Dit stond erop:

Lieve Isabel
Vandaag komt papa thuis! We geven een (16.00u)
GROOT FEEST
Kom alsjeblieft !!!
Sam, Beer & Pip

Ik hoop zo dat ze komt. Ik hoop toch weer heel stiekem dat ze haar baantje wil inruilen. Voor au pair. En ik ben heel benieuwd naar haar andere gedichten. Ik wil haar zeggen dat zelfs onze buurvrouw ze mooi vindt. We hebben een verrassing voor papa én voor haar gemaakt. Er loopt een spoor van gele briefjes van de keuken naar Pips slaapkamer. Het zijn er meer dan twee-honderd.

Welkom thuis papa!
Bezoek het
Luizenmeer

Welkom Isabel!

Welkom thuis papa!
Bezoek het Zwanenmeer
Ga naar boven!
welkom! welkom! Isabel!
hoera papa = thuis!!
Kikker
Het Zwanenmeer
Beer is blij!
WELKOM THUIS!!
Welkom thuis papa!
jippie! feest! feest! feest!
taart! mmm....

Pip heeft een stuk erbij geschilderd in het Blije Bos. Ik had een schetsje gemaakt en hij heeft het prachtig uitgewerkt. Het is het allermooiste gedeelte van het bos geworden. En als ze straks binnenkomen, zetten we de muziek van Tsjaikovski op.

*Het Zwanenmeer,* maar dan anders.

# Over Francine Oomen

Francine Oomen is geboren op 27 maart 1960 in Laren (N-H), als oudste van vijf kinderen.
De creativiteit zat er al van jongs af aan in, evenals haar liefde voor boeken. Na de middelbare school en de Design Academy in Eindhoven, vestigde ze zich als zelfstandig industrieel ontwerper. Haar eerste stappen in het boekenvak deed ze als ontwerper van nieuwe soorten baby- en kleuterboeken. Later ging ze boeken voor steeds oudere kinderen schrijven, die ze meestal ook zelf illustreerde. De *Saartje en Tommie*-serie was haar eerste internationale succes. De avonturen van de twee kleuters verschenen in de *Bobo*, op televisie en in boekvorm.
Het eerste prentenboek geheel van Francines hand was *Sammie Eigenwijs*, dat in 1995 verscheen en in vijf landen gepubliceerd werd. In 1997 verscheen het eerste deel van Francines eerste jeugdboekenserie *De computerheks*. Haar grote doorbraak kwam met de *Hoe overleef ik...*- en de *Lena Lijstje*-serie. In 2003 schreef ze het Kinderboekenweekgeschenk: *Het Zwanenmeer (maar dan anders)*. Francines boeken werden vele malen bekroond en er is nu een film en een televisieserie in de maak.

Kijk voor meer informatie op: www.francineoomen.nl.

## Over
### *Het boek van Beer*

Ik heet Beer en ik heb altijd honger. Hoeveel ik ook eet, het holle gevoel in mij gaat nooit weg. Mijn leven is nogal saai en niet zo leuk, vind ik. Hoewel er best veel mensen jaloers op ons zijn, hoor. We zijn heel rijk en we wonen in een groot huis, aan de rand van het bos. We hebben zelfs een zwembad, maar dat wordt bewoond door zwanen.

Wat ik het liefste doe is lezen, want als ik lees ben ik in een andere wereld. Net zoals met eten krijg ik van boeken nooit genoeg. Ik heb een heleboel vragen, maar geen antwoorden.
Gelukkig heb ik mijn hartjes, die me helpen.

Dit is het tweede deel over Sam, Beer en Pip.
*Elk boek is ook apart te lezen.*

# Bij van Holkema & Warendorf verschenen:

**De *Hoe overleef ik...*-serie**     **Survivalgidsjes**

Hoe overleef ik mijn vakantie? *(1998)*
Hoe overleef ik het jaar 2000? *(1999)*
Hoe overleef ik de brugklas? *(2000)*
Hoe overleef ik mijn eerste zoen?
*(2001)* *(Genomineerd voor de Kinderjury 2002)*
Hoe overleef ik mezelf? *(2002)*
*(Bekroond door de Kinderjury 2003, Hotze de Roosprijs 2004, bekroond door de Jonge Jury 2004)*
Hoe overleef ik een gebroken hart?
*(2003)* *(Bekroond door de Kinderjury 2004, Hotze de Roosprijs 2004, bekroond door de Jonge Jury 2004)*
Hoe overleef ik met/zonder jou?
*(2004)* *(Genomineerd voor de Jonge Jury 2005 en de Tina-Bruna-award 2005)*
Hoe overleef ik mijn ouders? (en zij mij!) *(augustus 2005)*

Hoe overleef ik mijn vakantie in Duitsland? *(2004)*
Hoe overleef ik mijn vakantie in Frankrijk? *(2004)*
Hoe overleef ik mijn vakantie in Italië? *(2004)*
Hoe overleef ik mijn vakantie in Spanje? *(2004)*
Hoe overleef ik mijn vakantie in Engeland? *(mei 2005)*
Hoe overleef ik mijn vakantie in Turkije? *(mei 2005)*
Hoe overleef ik van alles (en nog wat)? *(mei 2005)*
Hoe overleef ik zonder antwoorden? *(mei 2005)*

## Ezzie's Dagboek *(2004)*

Dit is het dagboek van Rosa's vriendin, Esther.
Welkom in Ezzie's knotsgekke, compleet gestoorde wereld!
Lees hoe ze op zoek is naar haar vader, naar liefde, naar echte vriendschap, naar de leukste kleren, de lekkerste snoep en vooral naar zichzelf!

Je kunt *Ezzie's Dagboek* ook op www.francineoomen.nl lezen!

## Lena Lijstje

*Kiezen is moeilijk, maar lijstjes maken helpt!*

Lena Lijstje *(2002)*
*(Kinderboekwinkelprijs 2002)*
Het geheim van Lena Lijstje *(2003)*
De reis van Lena Lijstje *(2004)*

**De computerheks** *(7–12 jaar)*

Ursula is een moderne heks, niet zo'n ouderwets tiepetje dat op een stoffige bezem rondvliegt. Ze beleeft fantastische en spannende avonturen, met medewerking van haar leerlingen Lot (slimme meid, 11) en Trix (Oost-Indisch dove bejaarde, 75+) en met tegenwerking van Karel (zoon van Trix, niet bepaald snugger, 30).

De computerheks *(1996)*
Computerheks in gevaar *(1997)*
Lang leve de computerheks! *(1999)*
Computerheks in de sneeuw *(2000)*
De computerheks ziet ze vliegen *(omnibus) (2003)*
De computerheks tovert erop los *(omnibus) (2004)*